365

actividades
Sin - Tv
para tu niño

365

actividades
sin-Tv
para tu niño

Steve & Ruth Bennett

TIKAL

DEDICATORIA

A nuestros hijos, Noah y Audrey,
que nos han servido de estímulo en la vida
y de inspiración para este libro

Published by arrangement with Adams Media, an F+W Publication Company (USA)

Editora responsable: Isabel López

Traducción: M.ª Ángeles Martínez

Diseño y maquetación: Dayenu Grupo de Comunicación

Fotocomposición: Julio P. Fernández

Diseño de cubierta: Paniagua & Calleja

© Steve J. Bennett y Ruth I. Loetterle Bennett
© Susaeta Ediciones, S. A.
Tikal Ediciones
Campezo, 13
28022 Madrid
Fax: 913 009 110
tikal@susaeta.com
Impreso en la UE

SP
790.191
BENN

SÍMBOLOS DE PRECAUCIÓN

Guíese por estos símbolos para elegir un entorno seguro en los juegos y controlar materiales potencialmente delicados

PRECAUCIÓN

Piezas pequeñas

PRECAUCIÓN

Supervisar atentamente

PRECAUCIÓN

Fuera de casa

PRECAUCIÓN

Cocina

PRECAUCIÓN

Plástico para envolver

PRECAUCIÓN

Globo

PRECAUCIÓN

Objeto afilado

ÍNDICE

PRÓLOGO

Si alguien nos hubiese dicho hace cinco años que cuando tuviésemos cuarenta y tantos nos íbamos a dedicar a buscar nuevas formas de jugar con tubos de cartón, láminas de aluminio reciclado y bolsas de papel, habríamos pensado que semejante cosa era un disparate. Pero eso es precisamente lo que ha sucedido.

El éxito de *365 Actividades para tu hijo sin TV* resulta especialmente gratificante, porque nos confirma varias ideas que ya teníamos:

1. Es posible vencer a la televisión enseñando a nuestros hijos a entretenerse con su infinita creatividad.

2. Por extraño que parezca, tus hijos desean jugar con esa persona que puede levantar grandes edificios y arreglar el mundo: ¡tú!

3. Los adultos son capaces de volver a jugar y de disfrutar de las grandes ventajas de convertirse otra vez en niños.

4. Lo que cuenta es la *calidad,* no la cantidad de tiempo que pases con tu hijo. Escribimos el texto original para comprobar si éramos capaces de idear suficientes actividades originales y divertidas como para no tener que recurrir a ver televisión. Cinco años después, nuestra familia continúa bastante liberada de la pantalla. Lo mejor de todo es que la frase «me aburro» apenas se pronuncia en nuestra casa.

Todos deseamos ayudar a nuestros hijos a frenar su hábito de ver la televisión. Juntos podemos aprender unos de otros y tratar de que la infancia sea esa etapa de la vida tan importante y valiosa que los niños se merecen.

INTRODUCCIÓN: JUEGOS DE CALIDAD Y EN CANTIDAD

Si eres un padre o una madre como muchos de los que existen hoy en día, probablemente pienses que tus hijos deberían ver menos la televisión. Te gustaría quizá sustituir parte del tiempo que pasa tu hijo viendo la tele por unos buenos momentos dedicados a la familia.

Este libro puede ayudarte a conseguir estos dos objetivos enseñándote juegos y actividades que requieren muy poca preparación previa, o incluso ninguna, y sin embargo proporcionan horas de entretenimiento y juego que de otro modo tal vez se malgasten delante del televisor. Con este programa de actividades para un año, podrás ofrecer a tus hijos alternativas divertidas a programas de dudoso valor y a un sinfín de anuncios publicitarios.

Aunque hemos tratado de incluir actividades tanto de interior como de exterior, más algunas adecuadas al cambio de las estaciones, la mayor parte de ellas pueden realizarse en una sala de estar o una cocina con un mínimo de organización.

Hemos prestado especial atención a aquellas actividades que son fáciles de realizar y requieren un esfuerzo mínimo por parte de los padres. Muchas de ellas pueden ser un salvavidas cuando uno está demasiado cansado para pensar, pero aun así desea dedicar a sus hijos unos buenos momentos en lugar de recurrir a la «niñera electrónica». En el caso de todas aquellas actividades que requieren materiales, hemos elegido elementos que pueden encontrarse muy fácilmente en la cocina o en la despensa, lo cual nos lleva al siguiente apartado: qué materiales debemos recopilar para los juegos.

Actividades sin televisión: centro de aprovisionamiento

Cualquier tipo de recipiente, tapa o cilindro de cartón puede convertirse en un ingenioso juguete, o utilizarse en una actividad sin televisión. Mucha gente considerará esta faceta ecológica del libro especialmente satisfactoria. De hecho, nuestras actividades son una magnífica manera de volver a utilizar materiales que no pueden reciclarse con los medios tradicionales. A continuación presentamos una lista del tipo de objetos que deberás ir guardando:

– *Cajas:* cajas de cartón, paquetes, cajas de cereales, de alimentos, etc.

– *Cilindros de cartón de los rollos de papel higiénico:* uno de los objetos más subestimados, y sin embargo será valioso en nuestras actividades. En las páginas siguientes encontrarás numerosas referencias a este material, como en «Bolos de cartón».

– *Cilindros de cartón de los rollos de papel de cocina:* otro precioso recurso despilfarrado.

– *Briks de leche:* limpios y secos, pueden servir para hacer dados de juego enormes o incluso edificios para construir ciudades.

– *Recipientes y tapas de plástico:* se pueden utilizar vasos de yogur, recipientes de queso fresco y otros envases para llenarlos de pintura, o bien como armazones que se cubren de papel maché, o con otros muchos nobles propósitos. Algunos botes de plástico sirven para hacer huchas y como guantes de béisbol.

– *Tapones de botellas de agua mineral y gaseosa:* son los botones perfectos de los paneles de control de naves espaciales, máquinas del tiempo y otros vehículos.

– *Bolsas de papel:* como los cilindros de cartón, estos objetos poco valorados tienen multitud de usos, desde máscaras a cascos.

– *Algodón de los frascos de medicinas:* muy importante para fabricar pelo de marionetas, humos de volcanes y otras muchas cosas.

– *Papel de regalo usado, papel y envases de aluminio usados:* muchas de las actividades de este libro proporcionan la oportunidad de decorar juguetes hechos en casa y otros elementos para jugar. El papel de regalo y de aluminio usado son ideales para ello.

– *Cajas de huevos, cajas de corcho blanco, otros envases de este material:* estas joyas pueden servir para sujetar botones de arranque, como moldes y en muchas actividades sin televisión.

– *Papel usado:* la parte trasera de hojas escritas y de papel de impresora puede aprovecharse.

– *Correo y catálogos inservibles:* también una buena fuente de fotografías y otros elementos para varios juegos. Y lo mejor de todo: completamente gratis.

– *Revistas:* todas las revistas contienen fotografías que pueden utilizarse en numerosas actividades sin televisión, como decorado de fondo de algún juego, cartas de juego o elementos decorativos.

Una vez que hayas incorporado las actividades sin televisión a tu vida diaria, comenzarás a contemplar los desperdicios desde una nueva perspectiva; llegarás a valorar todo tipo de envases que normalmente tirarías a la basura, considerándolos a partir de ahora auténticos tesoros para un fabricante de juguetes e inventor de juegos como tú.

Por último, algunas de las actividades requieren usar linternas. Te rogamos que utilices pilas recargables debido a los problemas que causa la destrucción de estas baterías. Cada pila arrojada a la basura es una pequeña cápsula toxica que acabará explotando y derramando sus productos químicos en el vertedero.

Seguridad

Ninguna de nuestras actividades sin televisión requiere el uso de materiales peligrosos o herramientas extrañas, si bien algunas de ellas precisan la utilización de tijeras o de un cúter para cortar cartón. En unas cuantas hay que cocinar u hornear. Esperamos que los adultos que sigan este libro empleen su sentido común y se hagan responsables de las tareas de cocina. Las actividades en las que se usan piezas pequeñas, globos, tijeras o el horno están señaladas con un símbolo de «precaución», para recordarte que tienes que tener más cuidado de lo habitual. He aquí algunos aspectos relacionados con la seguridad en los que conviene pensar antes de seguir adelante.

• Cuando se pidan materiales corrientes para colorear, elige rotuladores al agua. Son más seguros para las personas y menos perjudiciales para el entorno en el momento de desecharse.

- En las papelerías y tiendas de juguetes se venden colas y pegamentos no tóxicos. Utilízalos siempre que se necesiten estos materiales en alguna actividad. En ningún caso debe utilizarse pegamento de caucho: es demasiado peligroso para los niños (y los adultos deberían tratarlo con cuidado).

- Cuando se necesiten latas vacías, asegúrate de que los bordes no cortan. Lo mismo puede decirse de las perchas de alambre (dobla el extremo hacia atrás para que no pueda herir a nadie).

- Cuando estés absorto en alguna actividad, vigila a los pequeños que podrían estar jugando con las tijeras, cuchillos o piezas pequeñas. Por otro lado, en unas cuantas actividades se utilizan bolsas de plástico: presta atención a los niños curiosos a quienes les encanta cogerlas. Del mismo modo, ten cuidado con los globos: si un niño muerde uno, puede explotarle en la boca y atragantarse con él.

Sobre todo, utiliza tu sentido común cuando realices las distintas actividades. El juego debe ser relajado y divertido tanto para ti como para tu hijo.

Jugando con tu hijo

Gracias a algunas actividades de este libro es posible fabricar un juguete o ayudar al niño a comenzar un juego, y luego marcharse a cocinar, limpiar, relajarse o atender otros asuntos. Sin embargo, la mayor parte de ellas requieren nuestra participación activa junto con el niño. He aquí algunas sugerencias para mejorar la calidad del juego y conseguir un entorno apropiado para el desarrollo de las actividades sin televisión con grupos de niños:

- Evalúa la tarea en función de la edad y capacidad del niño. Si una actividad o un juego resultan demasiado difíciles, el niño se sentirá frustrado. Comienza por algo fácil, felicita al niño por sus logros y luego sugiere hacer algo más difícil.

- Déjate llevar por la corriente; es lo más práctico. Las normas de nuestras actividades sin televisión están orientadas simplemente a iniciar los juegos. Sé flexible y deja que tu hijo lleve la batuta. De hecho, debes animar a tu hijo a inventar su propia versión del juego. Así estimularás su creatividad y la confianza en sí mismo.

- No propicies el juego competitivo o cuyo objetivo sea ganar. Los niños pequeños a menudo cooperan en los juegos. Disfruta y fomenta este espíritu todo lo que puedas. Por ejemplo, si en un juego participan varios niños, haz que el objetivo sea ganar al reloj, y no a los demás niños. O bien estipula que el premio por ganar sea el derecho a elegir las reglas del juego siguiente, o pensar en alguna tontería que tengan que hacer todos los demás.

Desengancharse de la televisión

¿Debemos donar nuestro televisor a la ciencia antes de seguir adelante con este libro? No necesariamente. Lo importante es el control más que la prohibición. Establece un límite de la cantidad y calidad de televisión que pueden ver tus hijos, y luego haz cumplir lo estipulado con firmeza. Algunos padres de los que conocemos siguen una regla básica: tus niños deben pedir permiso antes de encender la televisión. Otros simplemente la tienen desconectada excepto en ocasiones especiales.

Si tus hijos ya se han acostumbrado a ciertas dosis de televisión al día, no será justo simplemente desenchufarla: así les estarás castigando por algo que no comprenderán.

Aunque no disponemos de estudios científicos a largo plazo que demuestren que reducir el tiempo dedicado a ver la televisión hace que los niños sean mejores y más felices, lo que sí es seguro es que cuanto mejor sea la calidad del tiempo que dediques a tus hijos, más felices serán todos los miembros de la familia.

Es razonable pensar que la familia que juega unida, permanece unida.

A duras penas

Aquí tenemos otro uso para el dado gigante que veremos más adelante (actividad 303); esta vez pondrás a prueba tu agilidad.

Asegúrate de que las caras del dado tengan todas una marca de color (utiliza un lápiz de color o un rotulador si es necesario).

Coge dieciocho láminas de papel de unos 20 x 30 cm, y coloréalas con los mismos tonos que haya en el dado. Luego, esparce las hojas al azar por el suelo, dejando que los colores se distribuyan de cualquier manera. Pega las hojas al suelo con cinta adhesiva (esto lo puede hacer tu hijo).

En ese momento, ya está todo listo para jugar. Lanza el dado y comprueba el color que sale hacia arriba. Ahora debes colocar una parte cualquiera de tu cuerpo en una de las hojas que tenga ese mismo color. Arroja de nuevo el dado y elige otra hoja cuyo color se corresponda con el del dado; coloca cualquier parte del cuerpo allí. Otra posibilidad es que jueguen dos jugadores al mismo tiempo, guardando turnos para lanzar el dado. Inevitablemente, acabaréis completamente enredados. Si esto sucede, o si uno se cae muerto de risa, pasa el turno a otro jugador.

¿Te sientes animado? Deja que tu hijo te indique qué parte del cuerpo debes colocar en un cuadrado de un color determinado.

TRABAJOS MANUALES

2

A su manera

¿Cuál es el mejor juego para niños? Uno que puedan hacerse ellos mismos.

Proporciona a tu hijo trozos de cartulina cortados al mismo tamaño. También necesitarás un trozo de cartón duro (que sirva como tablero), lápices de colores, rotuladores, botones muy grandes (son estupendos, pero no deben utilizarse con niños menores de tres años). Por último, proporciónale dados gigantes *(véase actividad 303: Dados gigantes)*, trozos de papel usado y un avisador de cocina. Luego, encomienda a tu hijo la tarea de inventar un juego como quiera. Si le cuesta empezar, dibuja un camino serpenteante formado por cuadrados para colorear, e indícale cosas que puede poner en los cuadrados... o coge los trozos de cartulina y enséñale cualquier juego infantil de cartas. Ten paciencia, en algún momento surgirá un juego inigualable.

Álbumes gigantes

Los álbumes gigantes son cuadernos muy grandes hechos con papel usado, en los que se pegan imágenes de coches, de aviones, de animales, de personas y todo tipo de cosas que llamen la atención de tu hijo. Hacerlos es muy divertido.

Recorta imágenes de distintas revistas y guárdalas en sobres, luego pégalas en hojas grandes de papel resistente con cinta adhesiva de doble cara o pegamento no tóxico. Deja que tu hijo organice las imágenes según sus propios criterios.

Perfora tres o cuatro orificios en el lado izquierdo de las hojas de papel, luego pasa una cuerda a través de cada orificio y átala. Las cuerdas atadas sirven de fijación (también se pueden comprar anillas en una papelería). Antes de atar las hojas, tu hijo tal vez quiera hacer una portada con ilustraciones, o incluso escribir un título.

Aquí te sugerimos unos cuantos ejemplos:

Mis coches favoritos

Personas con bigote

Días de fútbol

Pon fecha a los álbumes y guárdalos; te alegrarás de haberlo hecho.

SE NECESITA:
- Fotos de revistas
- Hojas grandes de papel resistente
- Cinta adhesiva o pegamento no tóxico
- Cuerda

COSAS QUE ANDAN

TRABAJOS MANUALES

Animales bien vestidos

- Revistas
- Tijeras
- Cinta adhesiva de doble cara o pegamento no tóxico

Éste es un antiguo juego muy divertido: se trata de hacer ropa de papel para muñecos recortables, pero aquí haremos una pequeña variación.

Recorta imágenes de personas y animales de revistas. En realidad, lo único que te interesa de las personas es su ropa y sus zapatos (recuerda que recortar es una tarea propia de adultos). Una vez que tengas un buen montón de ropa, deja que tu hijo vista a los animales: puede probarles sombreros, trajes, vestidos, camisas, pantalones, zapatos y abrigos. Anima a tu hijo a inventar historias sobre lo que el animal está a punto de hacer: irse a trabajar, conducir, salir a cenar, iniciar una aventura en un país extranjero, hacer footing, jugar al fútbol, etc.

Puedes ayudar a tu hijo recortando las ropas de modo que se ajusten mejor a la imagen, y luego pegándolas en los animales con pegamento o cinta adhesiva de doble cara. Después pega los animales en un papel para confeccionar un álbum o un póster.

¡Vaya! ¡A ese gorila le sienta fenomenal ese traje de chaqueta! En cambio esos zapatos...

Arquitectura con palillos

5

Con una caja de palillos y plastilina se puede crear una maqueta de la Torre Eiffel. Pero no es necesario que los principiantes sean tan ambiciosos. Una casa está bien para empezar.

Lo único que necesita tu hijo es un poco de plastilina y un montón de palillos de dientes (esta actividad no debe realizarse con niños chiquitines, ya que los palillos quizá sean demasiado pequeños como para que los manejen sin peligro). Forma bolitas de plastilina con un diámetro de medio centímetro aproximadamente. Utilízalas como juntas para sujetar los palillos.

Para edificar casas, simplemente construye un entramado cuadrado y un tejado inclinado en forma de «A». Tu hijo puede dibujar puertas y ventanas en trozos de papel; luego puede pegarlas en la casa con cinta adhesiva. ¿Qué tal un puente? Construye un entramado, luego coloca encima trozos de cartón. Tu hijo puede usar el puente con coches que pesen poco, o con pequeños muñecos de plastilina.

Otras posibilidades son las siguientes: puertos para barcos de juguete, corrales para caballos y otros animales, jaulas de zoo y de circo, verjas y túneles. Una vez construido todo esto, quizá ya estés preparado para la maqueta de la Torre Eiffel...

PRECAUCIÓN

Piezas pequeñas

SE NECESITA:
• Palillos de dientes
• Plastilina

OPCIONAL:
• Papel
• Lápices de colores o rotuladores
• Cinta adhesiva

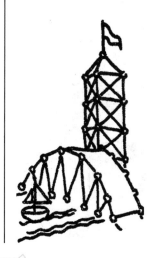

TRABAJOS MANUALES

6

Arquitectura con palos de polo

¿Tirarías a la basura un trozo de madera en perfecto estado? Entonces ¿por qué tirar los palos de los polos helados? Son un excelente material de construcción, como veremos en esta actividad.

SE NECESITA:

- Palos de polos helados
- Pegamento no tóxico

La primera parte de esta actividad consiste en la ingrata labor de pedir a alguna persona muy aficionada a comer polos que te guarde los palos. Una vez solucionada la cuestión del suministro, es el momento de ponerse manos a la obra.

Tu hijo puede utilizar pegamento no tóxico para construir casas, estaciones de tren, o incluso barcos o submarinos. El único límite lo pondrá su imaginación, si bien tú puedes ayudarle ofreciendo algunos consejos para que las construcciones resulten sólidas (las torres con tejado colocadas boca abajo, según hemos podido comprobar, no son edificios fiables). En el caso de edificaciones complicadas, conviene dejar secar bien la estructura básica antes de seguir adelante.

Muchos niños prefieren construir algo abstracto con los palos, lo cual también está muy bien. Así empezó Frank Gehry antes de diseñar el museo Guggenheim.

Arte en la cocina

La cocina es una magnífica fuente de recursos para la creación de obras de arte. En papel usado, dibuja el contorno de los siguientes objetos con lápices de colores, bolígrafos o rotuladores, y luego añade los detalles:

Los coladores y espumaderas, boca abajo, pueden utilizarse para dibujar caras graciosas; los ganchos de sujeción son magníficos para perfilar las orejas. Las sartenes sirven para lo mismo, y sus mangos pueden ser largos cuellos para dibujar personajes graciosos. Con los platos se perfilan muy bien las caras, y también los globos y las ruedas. Para ello sirven también las tazas, platillos y tapas de envases de plástico.

Los envases cuadrados pueden utilizarse para dibujar el contorno de casas y edificios, mientras que las varillas de batir, los tenedores largos y las cucharas servirán para perfilar árboles. Una caja de papel de aluminio nos ayudará a dibujar un tren, un coche o un autobús. No te olvides de los moldes de galletas; no sólo sirven para hacer dulces.

Inspecciona el cajón de la cocina en busca de materiales adecuados para perfilar. Seguro que encontrarás todo tipo de cachivaches con formas interesantes. Y cuando tu hijo muestre sus preciosas obras de arte al· abuelo o a la abuela, ¿quién va a saber que el flamenco de una sola pata es en realidad un triturador de ajos disfrazado?

SE NECESITA:
- Papel
- Bolígrafos, lápices de colores o rotuladores
- Recipientes y utensilios de cocina

8

Atención: les habla el piloto

¿Le atrae a tu hijo la idea de pilotar un avión? Esta actividad le situará justo en la cabina.

Necesitas un tablero de instrumentos (*véase actividad 115: Un salpicadero de coche*), y unas cuantas filas de sillas. Quizá desees colocar cinturones o cuerdas para que los pasajeros las usen como cinturones de seguridad. Algunas bandejas vendrán bien para los aperitivos (puedes utilizar bandejas de corcho blanco de la frutería). Tu pareja y tú, o bien otros niños, podéis sortearos los asientos del pasillo y los de las ventanillas.

Tu hijo podría ser auxiliar de vuelo, y luego piloto; si juegan dos niños o más, pueden hacer turnos para representar distintos papeles de la tripulación. La azafata, o el auxiliar de vuelo, anuncia el despegue por un micrófono (hecho con un tubo de papel higiénico, papel de aluminio, y un trozo de cuerda). El piloto despega e informa sobre la altitud y otros aspectos interesantes, como el tiempo y el destino.

Una vez que el avión ha alcanzado la altitud de crucero, tu hijo puede disponerse a servir los aperitivos. ¿Quién se está encargando de la cabina? Bueno, ¿para qué sirve el piloto automático?

TRABAJOS MANUALES

Atrápala con velcro

9

Esta actividad deportiva todavía no participa en las olimpiadas, pero aun así, será una de las preferidas de la casa.

En primer lugar, pega trocitos de velcro en una pelota de ping-pong *(véase la actividad 29, Dardos sin peligro)*. Luego, confecciona unas manoplas de franela. Para ello recorta un trozo de cartón de unos 20 cm de diámetro. Haz una correa para la parte trasera. Esta consistirá en un trozo de cartón, de 2,5 cm de ancho, que se grapa o pega detrás. Deja el espacio necesario para que, al meter la mano dentro de la correa, ésta quede ajustada (si es para tu hijo, claro está, tendrás que dejar menos espacio). Da la vuelta al guante y cubre las grapas con cinta adhesiva o con otro trozo de cartón. Por último, forra la parte delantera con un trozo de tela de franela, lana o fieltro. Pega la tela en la parte trasera.

Ya puede empezar el juego. Una persona lanza, y la otra trata de atrapar la pelota con su manopla; si la pelota tiene suficiente velcro, se pegará. Luego, el que ha recibido la pelota debe lanzarla. Para que el juego resulte más difícil basta con aumentar la distancia o hacer las manoplas más pequeñas.

Si tus hijos y tú adquirís destreza en este juego, quién sabe, tal vez participéis en los Juegos Olímpicos de 2008.

 PRECAUCIÓN

Supervisar atentamente

SE NECESITA:
- Pelotas de ping-pong
- Velcro
- Cartón
- Tela de franela, lana o fieltro
- Grapadora, cinta adhesiva o pegamento

10

Autorretrato

SE NECESITA:
• Materiales de dibujo
 y pintura

OPCIONAL:
• Espejo
• Una fotografía del niño

Propón a tu hijo que pinte un autorretrato. El material elegido –ceras duras, lápiz, acuarelas, témperas– no importa tanto como el hecho de que el ambiente sea propicio para la creación.

Haz preguntas de este tipo: ¿qué está haciendo el niño del dibujo?, ¿qué acaba de ocurrir antes?, ¿a quién o qué mira el niño?, ¿qué ocurrió después?

Trata de aceptar cualquier opción: la imaginación de tu hijo podría sorprenderte. Por otro lado, si a tu hijo no se le ocurre qué dibujar, tal vez podrías ayudarle sugiriendo algo como «¿qué te parece si te dibujas comiendo una estupenda cena?». Luego retírate y ve qué sucede.

Quizá quieras colocar un espejo frente a tu hijo para ayudarle. Otra idea interesante es que el niño trabaje a partir de una fotografía suya que le guste.

Uno de los inventos favoritos de nuestro hijo Noah es el «busmóvil de Chicago». Consiste en un gran salpicadero hecho con una caja de cartón *(para fabricarlo, véase actividad 115)*.

Siempre que nos apetece, colocamos en fila las sillas de la cocina y montamos en el autobús. Nuestro hijo recoge los billetes, luego se sienta tras el volante y anuncia las distintas paradas: el supermercado, el patio de recreo, el museo, Nueva York, Chicago, Australia, el piso de abajo y la luna (prepárate para dar indicaciones sobre el trayecto).

Tu hijo puede inventarse las paradas basándose en su propia experiencia. Cuando se trate de viajes largos, cantad la vieja canción «Vamos de paseo...». Tal vez deseéis llevar algún refrigerio, y en el caso de excursiones especiales, haced billetes apropiados para la ocasión, o algún recuerdo del viaje.

También se puede practicar esta actividad sin salpicadero; quizá a tu hijo le baste con sentarse a la cabeza del autobús.

SE NECESITA:

• Sillas

OPCIONAL:

• Cartulina
• Salpicadero
(Véase actividad 115)

Aviones de papel

- Un trozo de papel
- Cinta adhesiva

- Lápices de colores
  o rotuladores

Hacer un avión de papel es facilísimo si sabes cómo hay que doblarlo. No tienes más que seguir las ilustraciones que presentamos a continuación. Primero, dobla un trozo de papel por la mitad, luego dobla las esquinas *(véase Figura A)*. Dobla el papel por la mitad de nuevo, como muestra la *Figura B*, y después cada lado hasta el centro como muestra la *Figura C*. Dobla los lados otra vez como indica la *Figura D (éstas serán las alas, que deben medir unos 10 o 12 cm por la parte más ancha)*. Pega un trocito de cinta adhesiva encima de ambas alas para evitar que se separen.

Una vez que tu hijo decore el avión, éste estará listo para su primer vuelo «trans-sala de estar».

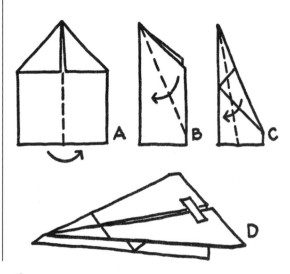

Los niños mayores siempre están buscando la manera de dar un aire personal a su entorno. ¿Qué tal un letrero para colgar del pomo de la puerta, con un diseño y mensaje a gusto de tu hijo?

Lo único que se necesita es un trozo de cartón o cartulina de color claro (si no es muy grueso se recortará mejor). La forma básica es muy simple: un rectángulo con un agujero circular en la zona superior lo bastante grande como para colgarlo del pomo de la puerta de la habitación de tu hijo. Tú puedes encargarte de la tarea de recortar, y luego dar a tu hijo el letrero en blanco para que continúe el trabajo.

Proporciónale lápices de colores, rotuladores y cualquier otra cosa que pueda servirle en este proceso creativo, y luego observa qué sucede. Cualquier tipo de mensaje o imagen es posible. Los hijos de unos amigos nuestros escribieron los siguientes letreros: «Sólo hinchas del Madrid»; «Genios trabajando»; «Zona desastrosa»; «Área sin peligro nuclear»; y otra que decía: «Sí, estoy haciendo los deberes».

Por nuestra parte, nosotros hicimos uno que decía: «Por favor, acuda el servicio de limpieza», y lo colgamos, muy optimistas, en la puerta de nuestro dormitorio. No ha funcionado. Todavía.

SE NECESITA:
- Cartulina
- Lápices de colores, bolígrafos o rotuladores
- Tijeras (para uso de adultos)

14

Barquitos

Probablemente tu cocina y tu sótano contienen un montón de materiales con los que hacer barquitos y ponerlos a navegar.

SE NECESITA:
- Materiales de desecho que floten
- Plastilina
- Papel
- Palillos de dientes

Busca alguno de esos trozos grandes de poliestireno (corcho blanco) que se emplean para empaquetar. Es fácil cortarlos y fabricar todo tipo de pequeños barquitos. Coloca un palo y una vela de papel, y la nave estará lista para navegar a los confines de su bañera. Las bandejas de poliestireno que acompañan a algunos alimentos del supermercado son unas balsas estupendas después de limpiarlas (también los briks de leche). Y los «cacahuetes» de corcho blanco que se usan como protección en embalaje, cortados longitudinalmente, son unas buenas lanchas y balsas si se las equipa con un palillo de dientes *(véase a continuación)*.

Se pueden fabricar pequeños botes rompiendo cáscaras de nueces longitudinalmente y rellenándolas con un poco de plastilina. Luego se alza un mástil pinchando un palillo de dientes en la plastilina y se coloca una vela de papel con cinta adhesiva.

Si se desea una versión más orgánica, prueba a utilizar apio a modo de casco. De hecho, tu frigorífico probablemente esté lleno de buenos materiales para la construcción de barcos. Recuerda: si flota, sirve para hacer barcos.

Bolos de cartón

¡Pobre tubo del papel higiénico!: esperando pacientemente a ver la luz del día, para luego ser arrojado sin piedad al cubo de la basura. Aquí proponemos una manera de salvar diez de estas criaturas menospreciadas, y de entretener a tus hijos al mismo tiempo.

Coloca los tubos en formación, dibujando una «V». Pide a tus hijos que lancen una pelota de goma (el mejor tamaño es de unos 15 cm de diámetro). Se pueden crear «pistas» con libros o cajas. Los más pequeños disfrutarán con las colisiones; los mayores pueden hacer tarjetas con puntos e inventar su propio sistema de puntuación.

Para que la actividad sea más entretenida, propón a los niños que decoren los tubos con rotuladores, pinturas o papel de aluminio. El objetivo del juego podría ser derribar tres tubos azules, o bien dejar de pie un tubo «comodín». Añade dificultades como lanzar la bola con los ojos vendados, o de forma ridícula (por ejemplo empujar la pelota con la cabeza); los ganadores deberán inventar reglas tontas o decidir la disposición de los tubos en la siguiente partida.

SE NECESITA:
- 10 tubos de rollos de papel higiénico
- Una pelota de goma

OPCIONAL:
- Rotuladores
- Témperas
- Papel de aluminio usado o papel normal

16

Búsqueda de huesos de dinosaurio

¿Le gusta a tu hijo jugar a los arqueólogos? Si es así, disfrutará con esta actividad.

SE NECESITA:
• Palitos de polo o limpiapipas

Reúne la mayor cantidad posible de palos de polo (no es muy difícil). Los palitos serán los huesos de dinosaurio. Si a tu hijo y a ti no os gustan los dulces, se pueden utilizar limpiapipas. Si jugáis dentro de casa, habrá que esconder los palitos o limpiapipas en «excavaciones» como el hueco que queda entre los cojines del sofá, debajo de la alfombra o de los muebles. Si jugáis fuera, podéis enterrar los «huesos» en la tierra a unos 2 cm de la superficie. Consigue algunas herramientas sofisticadas de arqueólogo, como una cuchara para desenterrar los huesos y una brocha para limpiar los restos de tierra.

Una vez completa la excavación, averigua si tu arqueólogo es capaz de construir un esqueleto; proporciónale pegamento no tóxico para pegar los huesos. Los limpiapipas pueden simplemente doblarse formando la columna vertebral, el cuello, las costillas, etc.

Cuando el esqueleto esté finalizado, colócalo en un lugar destacado del cuarto de jugar donde se vea bien.

Cabezas de patata

Hacer cabezas con patatas es un viejo juego que aún sigue entreteniendo a los niños.

Coge patatas grandes y límpialas con un cepillo. Luego proporciona plastilina a tu hijo para que modele una nariz, una boca y oídos. También se pueden utilizar trozos de fieltro para hacer los ojos, la boca, un bigote o una barba. Utiliza trocitos de palillos (córtalos tú y supervisa su uso) para fijar la plastilina, el papel y el fieltro a la patata. Un estropajo viejo será una buena mata de pelo. Si dispones de varias patatas, tu hijo y tú podéis hacer una familia completa de cabezas de patata. A las niñas de cabeza de patata les irá bien una cinta o un lazo.

¿Qué tal unas patatitas asadas para cenar?

SE NECESITA:
- Patatas
- Plastilina
- Papeles de colores
- Fieltro
- Palillos
- Cintas o lazos
- Un cepillo

TRABAJOS MANUALES

18

Cadenas de papel

- Papeles de colores
- Tijeras sin punta
- Cinta adhesiva

Probablemente recordarás esta actividad de tu época del colegio. Las cadenas de papel se hacen para decorar fiestas, o para cualquier cosa que quieran los niños.

Recorta un montón de tiras pequeñas de papel de unos 15 cm de largo y 3 cm de ancho (utiliza unas tijeras sin punta). Las tiras deben tener un tamaño uniforme, pero distintos colores (las de un solo color resultan sosas).

Pega los dos extremos de una tira con un pequeño trozo de cinta adhesiva transparente. Luego enlaza la siguiente con la primera, y pégala de la misma manera. Repite... y repite... y repite. Adorna la sala con cadenas de colores.

Cuidado: esta actividad crea adicción.

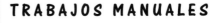

Éste es un calendario que hará que tu hijo tome conciencia de las cosas que son realmente importantes.

En una hoja grande de papel, dibuja una cuadrícula con un mes concreto del año, una estación o todo el año.

Elige las fechas que puedan interesar a tu hijo, como su cumpleaños, los cumpleaños de otros miembros de la familia, festividades importantes o planes de viaje, etc. Luego recorta una solapa que se abra hacia arriba en cada fecha señalada.

Coloca un trozo de cartulina detrás del calendario. Pega ambas piezas con cinta adhesiva de doble cara o con pegamento alrededor del borde. Abre las solapas y dibuja o pega una imagen adecuada para el caso en la hoja inferior. Luego dibuja algo también en la solapa.

Este calendario puede utilizarse para enseñar al niño cuántos días faltan para una fecha especial. También se puede anunciar acontecimientos con un día o dos de antelación, como una salida al zoo, al parque, o una visita a un amigo especial.

SE NECESITA:
- Un papel grande
- Lámina de cartulina
- Pegamento o cinta adhesiva de doble cara
- Lápices de colores o rotuladores
- Fotografías

20

Camas para mascotas

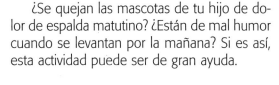

- Cajas del tamaño necesario para que quepan los animales de peluche
- Almohadas, toallas, periódicos o algodón

HOGAR DULCE HOGAR

MANZANAS

¿Se quejan las mascotas de tu hijo de dolor de espalda matutino? ¿Están de mal humor cuando se levantan por la mañana? Si es así, esta actividad puede ser de gran ayuda.

Primeramente, di a tu hijo que coja su muñeco o sus peluches favoritos. Luego busca cajas de un tamaño adecuado para que puedan convertirse en cómodas camas (algunos paquetes de correos pueden servir). Luego rellénalos con algún material suave y blando, como una toalla vieja, periódicos desmenuzados o bien, para camas muy pequeñas, bolitas de algodón de las que vienen en los botes de medicinas.

Pide a tu hijo que acune a los animales para que se duerman, o que les cante una nana. O tal vez prefieras contarles un cuento. Puedes inventártelo o leer un libro que te guste.

Para asegurar una noche completamente tranquila a los animales, coloca sus camas cerca de la de tu hijo, por si acaso alguno tiene miedo durante la noche y necesita un abrazo reconfortante.

Carteles con nombres

21

¿Qué es un nombre? Cualquier cosa, desde animales y coches hasta muebles y naves espaciales... si tú juegas a este juego. Para jugar, el niño tiene que saber leer y escribir un poco (quizá tengas que ayudarle si está empezando).

En grandes hojas de papel de colores, escribe (o pide a tu hijo que lo haga) las letras de su nombre de pila: una letra en cada hoja. Luego, dile que busque en revistas cosas que empiecen por esas letras. Recorta las imágenes, luego pide al niño que las pegue en las hojas correspondientes. Saca la caja de lápices de colores o rotuladores e invita al niño a decorar los carteles. Luego busca un lugar de la habitación de tu hijo donde pueda exhibir con orgullo estas obras de arte y actualizarlas posteriormente con más recortes.

Para variar, tu hijo puede crear carteles o libros con el nombre de cada miembro de la familia. Un bonito regalo para cualquier ocasión.

SE NECESITA:
• Papel o cartulina
• Revistas

TRABAJOS MANUALES

22

Casa de juguete

SE NECESITA:

- Caja de cartón
  (de al menos 30 cm²)
- Lápices de colores
  o rotuladores
- Cajas pequeñas de cartón
- Tijeras u otra herramienta
  cortante
- Personas o animales
  de juguete

Una caja de cartón vacía es una casa en espera de ser descubierta. He aquí algunas ideas para convertir una simple caja en una casa de muñecas o de animales.

Los primeros pasos consisten en recortar (tarea de adultos). Primero, coloca la caja boca abajo y corta uno de sus lados casi por completo (esto será la parte trasera). En el lado opuesto, recorta una puerta abatible, y luego ventanas en la parte delantera y en los laterales. También se puede construir un tejado inclinado doblando un trozo de cartón y pegando los bordes a la parte superior de la caja. Recorta unos triángulos para los lados y pégalos con cinta adhesiva.

Una vez finalizada la fase de recortar, tu hijo puede empezar con la decoración: pintar las contraventanas, un pomo en la puerta, etc. Tal vez también pueda añadir un pequeño jardín: coloca una cartulina o un papel delante de la casa y proporciona a tu hijo lápices de colores o rotuladores verdes.

Decora el interior con muebles de juguete, o hazlos tú. Unas cuantas cajas pequeñas pueden convertirse fácilmente en sofás, mesas de cocina y sillas.

Esta misma técnica puede utilizarse para construir un granero, un zoo, un colegio o cualquier otro edificio. Quién sabe, tal vez estés sembrando una brillante carrera de arquitectura.

Esta actividad sirve para hacer cestas de papel que pueden utilizarse en muchas otras actividades.

Recorta un trozo cuadrado de papel de 15 cm de lado. Dobla 1 cm por cada uno de los cuatro lados. Haz un corte en cada esquina, tal y como muestra la ilustración (a). Se pueden pegar los lados con cinta adhesiva o pegamento, o bien graparlos, para formar la base de la cesta. Ahora recorta una tira de 2 cm de ancho y 20 cm de largo. Pega la tira en lados opuestos de la cesta a modo de asa. Es posible hacer cestas de todos los tamaños, y utilizar un material más duro, pero ésta es una buena manera de empezar.

Tu hijo puede decorar la cesta con lápices de colores, rotuladores o témperas (resultará más fácil decorarla antes de que tú hagas los pliegues). Además, se pueden cortar unas ranuras en el fondo de la cesta e insertar tiras de papel de colores para crear un efecto de «tejido».

La elaboración de cestas sólo tiene un límite: el papel que se tenga en casa.

SE NECESITA:
- Papel o cartulina
- Cinta adhesiva, pegamento, o grapadora
- Lápices de colores, rotuladores o témperas

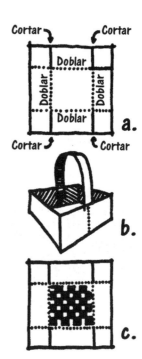

Ciudad con cajas

- Cajas vacías de alimentos
- Papel
- Material para decorar
- Tijeras sin punta

- Fieltro
- Algodón
- Vasos de papel
- Plastilina

Con cajas de cereales (y cualquier otro tipo de caja de alimentos que sea de cartón y rectangular) se puede construir una magnífica ciudad de juguete.

En el frigorífico encontrarás también edificios «prefabricados». Los briks de nata sirven para hacer casas, y algunos de leche o zumo pueden convertirse en edificios más grandes con tejados inclinados.

Para decorar los edificios, forra las cajas con papel de bolsas, papel de charol, o papel de periódico sin imprimir (véase la Introducción). Luego dibuja ventanas, puertas y otros elementos arquitectónicos. También se pueden recortar las puertas y las ventanas, abriéndolas hacia fuera. Ten la precaución de proporcionar a tus hijos tijeras apropiadas para su edad y capacidad, y supervisa siempre cualquier actividad en la que se empleen objetos cortantes.

Tus arquitectos pueden desarrollar ahora una labor urbanística, dibujando las calles y las manzanas de la ciudad en un papel grande para luego colocar cada edificio en el lugar indicado del plano. Ayúdales también en la arquitectura paisajística, fabricando arbustos con algodón, hierba con fieltro verde, farolas con bastoncillos de algodón, y árboles con vasos de papel, plastilina y lápices sin punta.

Añade unos cuantos coches de juguete y todo estará listo para que tus hijos vayan a divertirse a la ciudad.

Coche caja

Busca una caja de cartón de unos 75 cm de largo y 50 cm de ancho y de profundo. Cierra y sella la tapa y el fondo de la caja con cinta adhesiva. Recorta un agujero grande en un lado, aproximadamente en el centro, lo bastante grande como para que pueda entrar tu hijo (ésta va a ser la base del coche). Luego, recorta una puerta en el lado opuesto, que se abra hacia fuera. Dóblala hacia delante (véase ilustración); éste es el salpicadero. Pégalo al capó. Finalmente, recorta dos agujeros para las manos, uno a cada lado del coche, más o menos en el medio y a unos ocho centímetros del borde superior. Las ranuras deben tener unos 5 cm de largo y 2,5 de alto.

Sujeta cuatro platos de papel en los costados del coche a modo de ruedas. Luego deja que el niño decore la caja. Tú y tu hijo podéis dibujar los indicadores y botones, o bien sujetar tapas de recipientes de plástico al salpicadero con encuadernadores (pegar los extremos acabados en punta para mayor seguridad). Recortad un agujero con forma de X en el salpicadero, luego incrustad el mango de una tapa de cazuela en el agujero: la tapa se convertirá en un volante giratorio. Fabrica una matrícula, utiliza tapas para los faros y coloca una rejilla vieja en la parte delantera del coche.

Pide al niño que se introduzca en el coche, que lo agarre metiendo las manos en las ranuras recortadas al efecto, y que lo levante. ¡En marcha!

 **PRECAUCIÓN**

Piezas pequeñas

SE NECESITA:
• Una caja de cartón
• Rotuladores, lápices de colores

OPCIONAL:
• Tapas de recipientes de plástico
• Platos de papel
• Tapa de una cacerola
• Encuadernadores (de venta en papelerías)
• Rejilla pequeña

Comedero para pájaros

PRECAUCIÓN

Supervisar atentamente

SE NECESITA:

• Un brik de litro y medio con la parte superior terminada en pico
• Grapadora
• Cinta adhesiva
• Un palillo de comida china o un lápiz sin punta
• Alambre
• Limpiapipas
• Alpiste

A tus hijos les encantará ver cómo los pájaros comen en el jardín, sobre todo si lo hacen en un comedero hecho por ellos.

Junta los lados del pico del brik y grápalos. Pega todo el borde superior con cinta adhesiva, y luego perfora un pequeño orificio a medio centímetro del borde. Introduce en el orificio un alambre o un limpiapipas en forma de anillo.

Coloca el brik en posición vertical, y luego recorta dos pequeños orificios a unos 3 o 4 cm de la base, en lados opuestos (recuerda que recortar es una tarea de adultos). Introduce a presión un palillo de comida china o un lápiz sin punta a través de los orificios, de modo que sobresalga por ambos lados. Ésta será la percha donde se posarán los pájaros. A un centímetro de la percha, y a cada lado, recorta una solapa de unos 5 cm que se abra hacia arriba. Sujeta la solapa en posición abierta con un alambre o limpiapipas.

Utiliza un embudo para introducir alpiste en el interior del comedero (encontrarás alpiste en cualquier tienda de mascotas. Si en tu zona existe algún pájaro que te guste, acude a la biblioteca y entérate de qué alimentos prefiere). Cuelga el comedero de una rama, enganchando un alambre en la parte superior del comedero y en la rama de un árbol.

Recuerda: Cuando invites a los pájaros a una comilona en el jardín, esperarán invitación para toda la temporada.

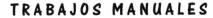

Copiador de dibujos

27

Tal vez tu hijo no pueda permitirse el lujo de tener una fotocopiadora de alta velocidad, pero esta actividad le proporcionará la mejor alternativa. Todo lo que se necesita es una cera dura, un lápiz y unas cuantas hojas de papel.

Pide a tu hijo que garabatee en un papel con una pintura de cera hasta cubrirlo por completo de color (no te preocupes demasiado si queda algún espacio en blanco; lo importante es conseguir una capa de color uniforme que pueda traspasarse a otra hoja de papel, y los pequeños espacios en blanco tal vez incluso produzcan un efecto interesante).

A continuación, di a tu hijo que coloque la cara coloreada boca abajo, encima de una hoja de papel en blanco del mismo tamaño. Cualquier figura que se dibuje ahora sobre el reverso de la hoja coloreada producirá un duplicado exacto en la hoja de debajo.

Consejo: *Tal vez sea conveniente pegar las dos hojas con cinta adhesiva antes de que tu hijo empiece a dibujar; si el papel se mueve, la imagen de debajo se estropeará.*

¿Reducciones? ¿Ampliaciones? Bueno, tendremos que consultarlo con el equipo de diseño...

SE NECESITA:
- Papel
- Lápiz
- Ceras duras

OPCIONAL
- Cinta adhesiva

28

Criaturas fantásticas

SE NECESITA:

- Papel
- Ceras duras o rotuladores

A lo largo de nuestra historia, los seres humanos hemos ideado algunas bestias bastante extrañas, criaturas extravagantes que sólo existen en nuestra imaginación. La mayoría de ellas resultan fascinantes para los niños; ¿por qué no compartir con nuestro hijo esta lista de famosos «animales» clásicos procedentes de otros mundos, proponiéndole que dibuje ilustraciones de cada uno de ellos?

La quimera: cabeza de león, cuerpo de cabra y cola de serpiente.

El centauro: mitad hombre, mitad caballo.

El dragón: un enorme reptil con alas que echa fuego por la boca.

El minotauro: mitad hombre, mitad toro.

Pegaso: caballo alado.

El sátiro: mitad hombre, mitad cabra.

La esfinge: cabeza de mujer, cuerpo de león, alas.

El unicornio: pequeño caballo con un cuerno largo y recto que le sale del centro de la frente.

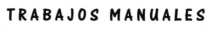

TRABAJOS MANUALES

Dardos sin peligro

Ésta es una alternativa, divertida y sin riesgo, al juego de los dardos. Requiere la misma habilidad.

Primero, pega trozos de velcro alrededor de una pelota de ping-pong. Se puede conseguir el velcro en una mercería. Luego, fabrica un tablero: coge un cartón cuadrado de unos 60 cm de lado. Fórralo con un trozo de tela de franela, lana, o fieltro, y pega la tela por detrás (o se puede hacer una diana redonda tradicional). Coloca la diana en el suelo o sobre una silla mullida. También se puede colgar de la pared con una escarpia, como un cuadro.

Los más pequeños disfrutarán simplemente arrojando las pelotas de ping-pong a la diana y viendo cómo se pegan. Si los niños son mayores, se pueden utilizar rotuladores, pinturas para tela o trozos de fieltro de colores para marcar distintas zonas en la diana. En algunas de estas zonas se marcarán puntos positivos, y en otras negativos. Algunas podrían costar un lanzamiento, y otras regalar varios tiros. También podrían obligar a lanzar desde una posición rara el siguiente tiro.

Procura que el objetivo del juego sea alcanzar cierto nivel, y no derrotar al adversario; bastante competición hay ya en la vida hoy en día.

SE NECESITA:
- Pelotas de ping-pong
- Velcro
- Un cartón
- Tela de franela, lana o fieltro
- Pegamento o cinta adhesiva

30

 PRECAUCIÓN

Globo

SE NECESITA:

- Papel maché
- Un molde de papel de aluminio para tartas
- Un embudo
- Témperas
- Globo
- Dinosaurios de juguete

Esta actividad tendrá un gran éxito entre los amantes de los dinosaurios. El primer paso será consultar la actividad 91 (Papel maché) para aprender la técnica básica del papel maché.

Todo paisaje de dinosaurios que se precie necesita un volcán. Utiliza un embudo grande y papel maché para darle la forma. Una vez seco el volcán, deja que tus hijos viertan pintura roja en las laderas del volcán para simular lava. Una bola de algodón en la cima servirá de «humo».

A continuación, fabrica una cueva de dinosaurio cubriendo un globo alargado con la mezcla de papel maché. Una vez seco, di a tu hijo que explote el globo; quedará una cueva que complacería a cualquier Triceratops.

Haz un lago primigenio con un molde de papel de aluminio para tartas y papel maché, y da forma a las orillas; cuando el modelo se seque, píntalo de color azul y verde (ideal para los Plesiosauros). Los envases de yogur, colocados boca abajo, sirven de armazón para crear pequeñas montañas, y los tubos de cartón del interior de los rollos de papel de cocina pueden usarse para hacer árboles prehistóricos y troncos.

Una vez terminados los distintos elementos, éstos pueden dejarse sueltos o pegarse sobre una madera. De cualquier modo, añade unos cuantos dinosaurios de juguete (o incluso dibujos de dinosaurios sacados de revistas) y tu hijo dispondrá ya de todo lo necesario para viajar al Jurásico.

Seguro que tu hijo y tú hacéis unos dibujos preciosos con los métodos convencionales. Pero ¿os atreveríais a dibujar cogiendo el lápiz con los dedos de los pies en lugar de hacerlo con las manos?

SE NECESITA:
- Hojas de papel grandes
- Lápices de colores

Utilizad dos papeles grandes, despejad un espacio en el suelo y probad. En poco tiempo, tu hijo podría convertirse en un experto en pintura con los pies.

Esta actividad no sólo resulta muy divertida; también sirve para tomar conciencia de la importancia que tiene la flexibilidad en la vida de los seres humanos. Explica a tu hijo que las personas que no pueden usar sus manos se adaptan a su nueva situación aprendiendo a escribir, pintar, dibujar, contar, coger objetos, y a realizar otras muchas tareas con los pies. De momento, os podéis limitar a dibujar; tal vez te sorprenda lo habilidoso que es tu hijo con los pies.

(Véase también: 130. El ambidiestro).

Dibujar un cuerpo

- Un trozo de papel grande
- Tijeras
- Lápices de colores y rotuladores
- Lámina de cartón para cartelería

OPCIONAL:

- Encuadernadores
- Papeles de colores
- Pinturas

Di a tu hijo que se tumbe boca arriba sobre un papel grande (puede servir un papel de periódico no impreso; *véase la Introducción*). Dibuja el contorno de su cuerpo con un lápiz o rotulador. Cuando acabes, recorta la imagen y pégala en una lámina grande de cartón.

A continuación, facilita a tu hijo lápices de colores, rotuladores, papeles de colores, cinta adhesiva, pintura y cualquier otro tipo de material de decoración que tengas a mano. Sugiérele que dibuje los rasgos de la cara o las ropas. Tal vez tú desees dar un aspecto humorístico a la imagen: sugiere que le pinte una enorme pajarita o unos zapatos descomunales. Otra alternativa es que el niño pegue «ropas» al cartón hechas de papel.

También se pueden utilizar encuadernadores, de venta en papelerías (no apropiados para niños pequeños), con el fin de hacer una imagen articulada. Coloca los encuadernadores en las articulaciones de los brazos, las piernas y las caderas. Asegúrate de pegar bien el dibujo sobre el cartón antes de recortar los miembros y de volverlos a montar con los encuadernadores.

Di al niño que firme su obra de arte y escriba la fecha, y luego colócala en algún lugar donde se vea bien. Tal vez acabes con un Louvre de tamaño natural.

Dibujar una comida

Aquí tenemos una manera de entretener a tu hijo mientras tú preparas la cena.

Cubre la mesa con un papel grande, y pega las esquinas con cinta de carrocero. Proporciona a tu hijo una buena cantidad de lápices de colores. Dile que dibuje manteles individuales para que se coloque todo el mundo, y luego un plato, una servilleta, cubiertos y un vaso en cada uno.

SE NECESITA:
- Un papel grande
- Cinta de carrocero
- Lápices de colores

Mientras tú preparas la cena, explica lo que estás haciendo. Tu hijo podrá dibujar el alimento en cuestión y «servirlo» en el plato de cada uno. Di a tu hijo que reparta a cada miembro de la familia una ración apropiada. Haz lo mismo con los demás platos que vayas a servir. No te ofendas si los dibujos de tu hijo no se parecen a la comida: nadie está poniendo en duda tus habilidades culinarias.

Otro consejo: No te sorprendas si encuentras tomates azules, judías verdes de color rojo, y cualquier otro alimento de un color extraño en el plato. Todo forma parte de la diversión.

A propósito, resultará curioso comprobar quién de la familia, en opinión de tu hijo, come más. ¿Quién será esa persona...?

Dibujo en cadena

Esta actividad, en la que participan dos o más personas, puede dar pie a una expresión artística desbordante.

- Papel
- Lápices de colores, ceras duras y rotuladores

Comienza trazando una línea o una figura cualquiera en un trozo de papel. Luego pide a tu hijo que añada otra línea o figura a la suya. Luego te toca a ti de nuevo; continúa de este modo hasta completar un dibujo. Prueba a empezar cada turno nuevo con un lápiz o rotulador diferente.

Al trazar cada línea nueva, describe lo que ves. Esto puede resulta muy divertido si uno de los jugadores está sentado en el lado opuesto del dibujo, ya que la perspectiva de ambos será muy distinta.

Para entretener a un grupo de niños, coge una hoja de papel grande de periódico sin imprimir *(véase Introducción)*, o un cartón para cartelería, de modo que los dibujos puedan enrollarse uno sobre otro. Para los dibujantes muy productivos, ten a mano un montón de papel listo para usar.

Una vez que tú y tus hijos hayáis terminado de dibujar todas las figuras y líneas, se pueden colorear los espacios por turnos. Luego di a los artistas que piensen en un nombre adecuado para su obra de arte.

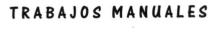

TRABAJOS MANUALES

Dioramas

35

 PRECAUCIÓN

Plástico para envolver

SE NECESITA:
- Una caja (como mínimo del tamaño de una caja de zapatos)
- Plástico para envolver y cinta adhesiva
- Papeles de colores
- Imágenes de revistas
- Animales y figuras de juguete
- Materiales para colorear

Los dioramas de los museos tienen algo mágico, con esas impresionante escenas de lugares lejanos y antiguas épocas. Es como si el tiempo se hubiese detenido tras el cristal. Para hacer dioramas en casa, tu hijo y tú necesitaréis una caja (del tamaño de una caja de zapatos, como mínimo), envoltura de plástico (cuidado con los niños pequeños), y cinta adhesiva. Colocad personas, animales, dinosaurios, coches y otras figuras de juguete dentro de la caja. También se pueden recortar imágenes, pegarlas en cartulina, y doblar la base hacia atrás para que se sujeten. Prueba las siguientes ideas:

Escena de la jungla: Utiliza imágenes de la jungla para el fondo. Coloca una serie de animales de la jungla y quizá un explorador. Intenta fabricar una choza con el tejado de paja, utilizando cartulina y palitos de polo.

Espacio interestelar: Haz el decorado de fondo con papel negro; pinta estrellas con pintura de témpera blanca. Pega fotografías o dibujos de planetas y cometas. Cuelga desde arriba una nave espacial de juguete o de cartulina, y uno o dos astronautas.

Escena hogareña: Fabrica un escenario que represente una habitación con fotografías de revistas (las revistas de decoración son una buena fuente). Añade personas, muebles de juguete o cartulina y otros elementos.

Sella los dioramas con plástico de envolver y cinta adhesiva

TRABAJOS MANUALES

36

Diseñar un bloc de notas

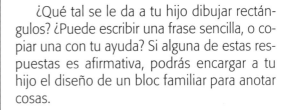

- Papel
- Lápiz de color (negro)
- Un sitio donde hagan fotocopias

¿Qué tal se le da a tu hijo dibujar rectángulos? ¿Puede escribir una frase sencilla, o copiar una con tu ayuda? Si alguna de estas respuestas es afirmativa, podrás encargar a tu hijo el diseño de un bloc familiar para anotar cosas.

La parte del dibujo es la más divertida. Proporciona a tu hijo un rotulador negro (se fotocopia mejor) y dile que diseñe el esquema básico de la agenda en una hoja de papel del tamaño adecuado. El único requisito es que quede espacio suficiente en blanco para escribir notas. También se recomienda poner un encabezamiento, por ejemplo: «Cosas que tenemos que recordar», o bien «Mensajes». Quizá tu hijo proponga ideas interesantes para los encabezamientos.

Después, lleva a tu hijo a una tienda donde hagan fotocopias. En muchas de ellas podrán encuadernar la agenda en forma de bloc, pero también se pueden utilizar hojas sueltas.

¿Qué mejor bloc de notas que uno diseñado por tu hijo?

TRABAJOS MANUALES

Este disfraz de tigre sin duda le va a encantar a tu hijo.

Compra unos calzoncillos largos o unos leotardos y una camiseta de manga larga, todo de color amarillo o naranja. También necesitarás pintura negra especial para tela, para pintar rayas (de venta en tiendas de material artístico). Extiende los leotardos y la camiseta en una mesa (coloca debajo papel de periódico). Coge una regla y dibuja, a lápiz, líneas separadas unas de otras por una distancia de 5 cm. Sumerge un trozo de esponja, de 5 x 2,5 cm, en un recipiente con pintura. Enseña a tu hijo a pintar rayas presionando la esponja sobre la tela a lo largo de las líneas dibujadas a lápiz.

Mientras se secan las rayas, recorta unas «garras» en fieltro naranja (recorta dos orificios para que puedan atarse a las manos con unos cordones de zapatos).

Después haz una cola con goma espuma. Fórrala de fieltro o tela naranja, pegándola o cosiéndola. Confecciona una presilla en un extremo y pasa un cinturón por ella.

Pinta los bigotes con pintura negra, y haz orejas de fieltro (cóselas a una cinta de pelo). Tu hijo ya está listo para merodear por la jungla.

SE NECESITA:
- Ropa interior larga de color naranja o amarillo
- Pintura para tela y esponja
- Fieltro naranja
- Pinturas para la cara (para pintar los bigotes)
- Una cinta del pelo

38

El baile de los elefantes

- Bolsa de papel grande
- Un trozo grande de papel fuerte
- Cartulina
- Cinta ancha de carrocero o de embalar

En cierta ocasión, un profesor muy imaginativo que conocemos mandó a sus alumnos hacerse una cabeza de elefante para disfrazarse y salir con ella a la calle, llamando la atención de la gente. Aquí enseñamos a hacer una.

Comienza con una bolsa grande de papel. Recorta dos agujeros para los ojos, y otro para la nariz. Luego, enrolla un trozo grande de papel fuerte, formando un tubo resistente de unos 75 cm de largo y 5 de ancho. Efectúa cuatro cortes longitudinales en un extremo del tubo, de modo que puedas doblar las secciones hacia atrás como si fuesen los pétalos de una flor. Inserta los «pétalos» en el orificio destinado a la nariz, y pégalos al interior de la bolsa: la trompa permanecerá firmemente sujeta.

A continuación, recorta un par de orejas grandes de cartulina. Pégalas a la bolsa con un trozo de cinta de carrocero ancha que recorra las dos orejas a lo largo. No te molestes en dejarlas inmóviles; las orejas de los elefantes suelen balancearse de un lado a otro.

Deja libre a tu elefante para que baile un vals por el jardín; seguro que asombrará a sus amigos y vecinos.

TRABAJOS MANUALES

El restaurante

Nuestro hijo prepara unas cenas fantásticas con plastilina, de modo que le hemos animado a que ponga un negocio. Resultado: «El restaurante de Noah», nuestro local particular.

Tu hijo también puede poner un restaurante. Lo único que se necesita es unos cuantos platos y cubiertos (utiliza utensilios que no tengan bordes afilados), algunas cajas vacías de alimentos y especias, y plastilina o masa para modelar.

Se puede preparar una mesa especial, o utilizar la mesa de la cocina. Tu pareja y tú podéis vestiros para la ocasión; prepara el ambiente del lugar antes de pedir mesa. Si hay varios niños, pueden hacer turnos para actuar como chefs y camareros.

Una de las facetas más interesantes de esta actividad será la de elaborar los menús. Los niños pequeños pueden utilizar fotos de alimentos recortadas de revistas, pegarlas en un papel grande, y poner los precios (no te sorprendas si todo cuesta lo mismo). Luego tú puedes escribir los nombres de cada plato. Los niños mayores tal vez prefieran inventarse menús y precios disparatados. ¿Le apetece a alguien calcetines asados con salsa de banana?

SE NECESITA:

- Platos y cubiertos irrompibles
- Plastilina o masa para modelar
- Envases de alimentos
- Un papel grande
- Lápices de colores y rotuladores
- Revistas con fotos de alimentos

40

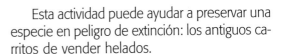

El vendedor de helados

 PRECAUCIÓN

Piezas pequeñas

SE NECESITA:

- Una caja de cartón grande
- Una lámina de cartón (o tapas de cajas)
- Una lámina de cartulina
- Palitos de polos helados
- Tubos de cartón del papel higiénico

Esta actividad puede ayudar a preservar una especie en peligro de extinción: los antiguos carritos de vender helados.

Coge una caja de un tamaño mínimo de 75 cm de largo y aproximadamente la mitad de ancho y de alto. Recorta una trampilla en el centro de la parte superior, y ábrela hacia fuera para dar acceso al interior de la caja *(véase ilustración)*. Recorta unas ruedas de cartón duro de unos 12 cm de diámetro. Sujeta las ruedas en la caja con encuadernadores o limpiapipas para que puedan girar (si utilizas encuadernadores –esas pequeñas sujeciones metálicas– ten la precaución de dirigir los extremos en punta hacia el interior de la caja, y recuerda que todas las piezas pequeñas deben mantenerse fuera del alcance de niños pequeños). Las ruedas son sólo decorativas; colócalas a ras de suelo. Pide a tu hijo que decore el carrito con lápices de colores, rotuladores o témperas.

Ya sólo necesitas el género. Haz algunos helados: fabrica los conos con cartulina fina, y pega una bola de papel encima con pegamento o cinta adhesiva, como si fuese el helado. No te olvides de los polos-helados: pega palitos usados a tubos de papel higiénico. Por supuesto, querrás disponer de servilletas para los clientes: estos helados son bastante pringosos.

TRABAJOS MANUALES

Hoy día, mucha gente cree que los ordenadores y los procesadores de texto han acabado con el antiguo arte de la escritura a pluma. Pero si tú puedes conseguir una pluma de pollo, o mejor aún, de pavo, podrás trasladar a tu hijo a aquella época en la que la escritura era quizá (sólo quizá), una manera de ordenar las palabras y exponer los razonamientos con más calma que hoy en día.

Coge la pluma y da a la punta un corte sesgado antes de entregársela a tu hijo. Luego, pon en un plato pintura de témpera aligerada con un poco de agua. No vendrá mal explicar al niño que de esa manera se escribía antiguamente (y en algunas culturas aún se sigue haciendo hoy). Deja que el niño practique en un trozo de papel (tardará un poco en aprender a cargar la pluma de tinta correctamente). Una vez que domine la técnica, podrías proporcionarle algo de papel hecho en casa para que escriba una carta a algún familiar querido *(véase actividad 90: Papel antiguo).* Asegúrate de que la escritura esté bien seca antes de doblar la carta y enviarla.

SE NECESITA:

- Una pluma de pollo o de pavo
- Témperas (con agua)
- Papel

Escudo de armas familiar

No es necesario vivir en un castillo para tener un escudo de armas; tu hijo puede hacer uno.

- Papel
- Lápices de colores o témperas

Explícale que un escudo de armas es un dibujo especial de la familia (la mayor parte de los diccionarios y enciclopedias ofrecen imágenes de ellos). Para hacer uno, se necesita papel, lápices de colores, rotuladores y pintura. Quizá quiera recortar el escudo y no estaría de más buscar algunos objetos circulares para trazar circunferencias, además de una regla.

Tu hijo puede añadir todo tipo de «distintivos de alcurnia»: estrellas, galones, camiones, animales, e incluso dinosaurios. Algunos niños optan por una extraña mezcla de elementos. Nuestro hijo decidió que el escudo de nuestra familia debía incluir un tiranosaurio rex rodeado de tres árboles y subido a un camión de la basura.

Una vez terminado el escudo de armas, cuélgalo en la pared de la habitación destinada a los juegos. Si tienes acceso a una fotocopiadora, tal vez podrías hacer copias para colocarlas en tarjetas de felicitación, y pedir a tu hijo que las decore con lápices de colores.

Escultura magnética

43

Una escultura con imanes es fácil de hacer y puede proporcionar un entretenimiento sin fin para tus hijos.

Para crear cualquier obra de arte magnética, se necesita un imán potente y algunos clips metálicos de los de sujetar papeles (no adecuados en el caso de niños pequeños). Imanta los clips frotándolos con el imán en una sola dirección. Una vez imantados, tus hijos pueden unirlos y elevarlos verticalmente o conectarlos horizontalmente, creando numerosas formas.

Propón a tu hijo que haga todo tipo de formas: un espantapájaros, letras o números, un perro u otras formas sencillas. Los niños también pueden averiguar cuántos clips son capaces de conectar, y si pueden empujar un clip con otro sin tocarlo. Es una buena ocasión para explicar el magnetismo a los niños mayores. Coloca el imán bajo un trozo de papel y espolvorea unas cuantas limaduras de hierro encima (puedes conseguirlas en una ferretería, o quizá pasando el imán por un montón de tierra). Las limaduras se agruparán mostrando la misma forma que el campo magnético. Explícales que el imán tiene un polo positivo y otro negativo, y que los polos opuestos se atraen, mientras que los que son iguales se repelen. Igual que sucede con muchas otras cosas en la vida.

PRECAUCIÓN

Piezas pequeñas

SE NECESITA:
• Un imán potente
• Clips pequeños de sujetar papel

44

Esculturas con pajitas

SE NECESITA:

• Pajitas de beber
• Clips de papel
• Cartón ondulado
• Cinta adhesiva
• Tijeras

Las pajitas de tu última visita a un bar no sólo pueden volver a utilizarse con otras bebidas, sino que son un material de construcción muy bueno.

Antes de empezar a hacer esculturas con pajitas, necesitarás piezas más pequeñas. Te convendrá cortar un surtido de pajitas cuyos tamaños oscilen entre 2,5 cm y pajitas enteras. Si tienes pajitas con codos flexibles, corta algunos de los codos: serán muy valiosos más tarde.

También deberías hacer conectores de tubos. Un tipo de conectores, que valen para uniones de ángulos, consisten en un clip de papel abierto de tal manera que queden dos partes en forma de U unidas por una S. Inserta cada una de las partes en una pajita, luego dobla el alambre en el ángulo deseado. No utilices estos conectores si hay niños muy pequeños cerca.

También se pueden hacer conectores con trozos de cartón ondulado cortados al tamaño adecuado como para que se ajusten perfectamente en dos tubos. Doblar el cartón por el medio formando el ángulo; pegar las pajitas con cinta adhesiva donde sea necesario para reforzar la unión.

Consejo: *es más fácil empezar con una escultura de forma libre que con algo muy realista, hasta dominar la técnica.*

Estudio fotográfico

Esta actividad confiere un nuevo significado a la expresión «fotografía instantánea».

Coge una caja de cartón grande y recorta un orificio cuadrado de buen tamaño en un extremo. Luego corta un orificio redondo en el lado opuesto, lo suficientemente grande como para encajar en él el extremo de un envase de yogur con tapa. Corta la base del yogur; inserta el envase en el orificio. Acabas de fabricar un «objetivo» de precisión. Corta una ranura en un lado o en la base de la caja, cerca del extremo donde está el orificio cuadrado. Dibuja un botón en ese lado de la caja; con él se activará el «disparador». Finalmente, cubre con una toalla el extremo que tiene los orificios cuadrados, y coloca la «cámara» sobre una silla.

Antes de abrir el estudio fotográfico, reúne fotografías de las personas a las que vayas a hacer un retrato. Explica a tu hijo que con las cámaras antiguas el fotógrafo tenía que cubrirse la cabeza con una tela. Tu hijo deberá hacer lo mismo con una toalla y presionar el disparador cuando llegue el momento de tomar la fotografía. Para el «revelado», no tienes más que sacar desde el interior las fotografías adecuadas (preparadas con anterioridad) a través de la ranura. También valen bocetos dibujados a mano. ¡Di patata!

SE NECESITA:
- Una caja de cartón grande
- Un envase de yogur
- Toalla
- Fotografías de la familia

46

Expositor de la naturaleza

Hasta el jardín o el camino más insignificante del vecindario tienen alguna maravilla de la naturaleza que ofrecer.

- Una bolsa o cesta
- Colección de objetos naturales
- Una caja de cereales
- Papel
- Cinta adhesiva

Sal de paseo y recoge hojas, flores, ramitas, bellotas, frutos, rocas y cualquier cosa que interese a tus hijos. Lleva una bolsa «especial» o una cesta para la recolección.

Pide a tus exploradores de la naturaleza que recojan únicamente lo que necesiten; cuando arranquen una parte de una planta, deben coger un trozo pequeño, y hacerlo sin dañar al resto. No cojas demasiadas flores tampoco; recuerda que con ellas se reproduce la planta.

Al volver a casa, fabrica un expositor para la colección. Para ello, coge una caja de cereales vacía, cierra la tapa y pégala con cinta adhesiva, y forra la caja con papel liso. Luego corta el cartón y el papel de la parte delantera, dejando un marco de 1 cm. Decora la caja, colócala verticalmente y rellénala: pega los elementos naturales poco pesados en el fondo de la caja, y los de más peso en la base.

Fábrica casera

Las máquinas pueden resultar igualmente fascinantes para niños y adultos. Con esta actividad, tu hijo puede imaginar que está fabricando juguetes o cualquier otro objeto del hogar.

Coge una caja grande y pega las tapas con cinta adhesiva. La caja debe ser bastante resistente. Recorta una solapa cerca de la base por donde el niño pueda entrar a la caja (recuerda que cortar cartón es tarea de adultos). Recorta un orificio cuadrado en la parte trasera, lo bastante grande como para que pasen los juguetes. Luego corta unos cuantos orificios en la parte superior, dos de los cuales deben tener el tamaño justo para encajar en ellos tubos de papel absorbente o higiénico. Decora la máquina con lápices de colores; consulta la actividad 115 (Un salpicadero de coche) para aprender a fijar tapas de envases de plástico y otros objetos corrientes que harán de indicadores.

Reúne varios juguetes, animales de peluche y objetos del hogar como radios o relojes. Pide a tu hijo que cierre los ojos y que inserte uno de los elementos que deben «fabricarse» por la parte de atrás. Luego pídele que gire los indicadores, encienda los interruptores y otros elementos importantes. Una vez que el niño decida que el objeto está acabado, sólo tienes que abrir la trampilla delantera, y allí estará lo que sea, listo para transportarlo a casa.

SE NECESITA:

- Una caja grande de cartón
- Cinta adhesiva
- Tubos de papel absorbente e higiénico
- Lápices de colores y rotuladores
- Elementos parecidos a los del salpicadero (*véase actividad 115*)
- Juguetes, animales de peluche, accesorios de la casa

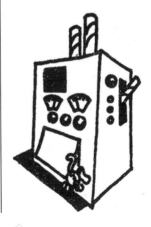

Fabricantes de juguetes

SE NECESITA:

- Un envase de yogur
- Un botón grande
- Fotos de animales de revistas
- Cinta adhesiva de doble cara o pegamento no tóxico
- Un palo de polo helado

Si tienes un hijo en Educación Infantil, y otro más pequeño, esta actividad te interesa: enseña a los niños a fabricar juguetes para otros niños más pequeños. A los preescolares, sobre todo, les agrada la idea de hacer algo para sus hermanos pequeños.

Sonajeros. Introduce un botón muy grande, o cualquier otro objeto de plástico, dentro de un envase pequeño de plástico. Cierra el envase con su tapa y agítalo (no utilices piezas muy pequeñas que puedan tragarse los niños).

Muñeco que se esconde. Pega una foto de un animal en un trozo de cartón. Recorta el cartón (tarea de adultos). Pega un palo de polo en el recorte, apuntando hacia abajo. Corta una ranura en una caja pequeña (la caja debe ser al menos igual de alta que la parte del palo que sobresale). Inserta el palo en la ranura y haz salir la imagen de cartón por el extremo abierto de la caja.

Libro infantil. Hojea revistas con tu hijo y recorta fotos de niños y otras imágenes de interés. Pégalas en trozos de papel del mismo tamaño, y decóralas. Cúbrelas con plástico adhesivo o introdúcelas en fundas de plástico. Perfora orificios en los lados y átalas con lazos o con anillas.

Cualquier niño se sentirá orgulloso de regalar uno de estos juguetes a su hermano pequeño.

Felicitaciones de papel

Proporciona a tu hijo una lámina o dos de papel de color, una caja de lápices de colores o rotuladores, un sobre y... ¡Listo! ya tenemos todo lo necesario para fabricar tarjetas de felicitación. Y no hay dos tarjetas iguales.

Si no tienes papel de color a mano, convendría que te acercases a una papelería (de paso, compra también algunos sobres si no tienes). Dobla el papel y pon a tu hijo manos a la obra.

Los niños que no saben escribir pueden dedicarse a la fase decorativa, y luego tú añade la felicitación o dedicatoria deseada. A quienes estén aprendiendo el alfabeto, se les pueden dictar las letras de las palabras. Los mayores escribirán ellos mismos las tarjetas.

Además de los dibujos decorativos, se puede incluir una hoja prensada (actividad 291: Prensar hojas), o una flor (95: Pintar con arena), o bien estampar un dibujo con patata (187: Estampado con patata).

Con independencia de los resultados obtenidos, seguro que los destinatarios de las tarjetas apreciarán el esfuerzo personal y el mensaje. Después de todo, lo que cuenta es la intención.

SE NECESITA:
- Láminas de papel o cartulinas de colores
- Lápices de colores, rotuladores o témperas

OPCIONAL:
- Hojas prensadas
- Flores prensadas
- Pegamento
- Arena

50

Flores prensadas

El arte de prensar flores es muy antiguo y cautivará a tu hijo.

En primer lugar, da un paseo con tu hijo por el campo y recoge ejemplares de flores pequeñas tales como violetas, ranúnculos, margaritas o pensamientos. Coloca las flores entre hojas de papel absorbente, y luego coloca el papel bajo un libro pesado (ahora comprenderás por qué conviene que las flores sean pequeñas). Mantén la presión hasta que las flores se sequen.

Las flores secas pueden utilizarse con muchos fines decorativos, como por ejemplo tarjetas de felicitación caseras o manteles individuales, o bien para hacer cuadros de flores y hojas *(véase actividad 291: Prensar hojas, para saber cómo secar y prensar hojas).*

Otra posibilidad consiste en fabricar un expositor de flores, pegando las flores en el fondo de una caja poco profunda, y luego cubriendo la parte frontal con plástico (éste se sujetará pegándolo en la parte trasera de la caja). Escribe el nombre de la flor en el fondo de la caja o en un pequeño papel. Coloca la caja en un lugar visible para que la vean las vistas; seguro que se sorprenderán.

TRABAJOS MANUALES

 PRECAUCIÓN

Piezas pequeñas

Basta con disponer de una moneda, una llave, una tapa de botella o cualquier otro de los numerosos objetos que hay en una casa, para tener en tus manos un tesoro que puede convertirse en obra de arte.

Quita el papel que rodea a unas cuantas ceras duras (en caso de que lo lleven). Luego coloca varias monedas bajo una hoja de papel en blanco. Frota la cera sobre la superficie del papel y... ¡ya está!, aparece una representación de la moneda. Puedes guardarla como un dibujo más, o bien recortarla para utilizarla en la actividad 304: El Banco de los niños, o en otros juegos que requieran monedas. Otra alternativa es pegar las monedas recortadas en cartulina con cinta adhesiva que pegue por los dos lados, para que duren más. Con las llaves también se logran buenas representaciones; tu hijo y tú podéis frotar un juego de llaves y pegar los recortes en cartulina para jugar al juego del salpicadero del coche *(véase actividad 115: Un salpicadero de coche),* o para jugar a las casitas.

No te limites a lo que llevas en los bolsillos; tu hijo podrá frotar todo tipo de cosas que tengan relieve y puedan colocarse debajo de una hoja de papel (los azulejos con dibujos en relieve son estupendos). Eso sí: guarda tus tarjetas de crédito en un lugar seguro.

SE NECESITA:
- Monedas o llaves
- Papel
- Ceras duras o lápices de colores
- Otros objetos con relieve

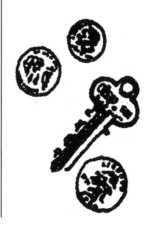

Grábate tú mismo

Tu hijo puede convertirse en una estrella de la canción de la noche a la mañana. Bueno, o casi.

Siéntate con tu hijo y pídele que haga una lista de sus cinco o seis canciones favoritas. Si lo crees necesario y apropiado, puedes ayudarle a escribir las palabras (obviamente, si tu hijo tiene tres años, se sabe de memoria «cumpleaños feliz», y no sabe leer ni escribir, no debes preocuparte demasiado por esta faceta).

A continuación, saca la grabadora y comienza las sesiones de grabación. Si te apetece, tú y otros miembros de la familia podéis colaborar con algún acompañamiento musical improvisado, utilizando envases, cucharas de madera, cazos o cualquier cosa que haga ruido. No te preocupes mucho si no se lleva bien el ritmo; lo que cuenta es la intención.

Siguiente paso: *¡Playback!* A la mayor parte de los niños les encanta oír sus propias voces, y a los tuyos probablemente también.

Y hablando de ese contrato...

TRABAJOS MANUALES

Hacer un libro

¿Quién no ha pensado alguna vez en escribir un libro? Tus hijos y tú podéis convertiros en escritores al instante de la siguiente manera.

Hojea revistas, propaganda, catálogos, folletos y otros materiales impresos en busca de fotografías de cosas que interesen a tu hijo. Ordena las fotografías de modo que formen una historia sencilla, luego pégalas en hojas de papel. Grapa o ata las páginas, o colócalas en un cuaderno.

En el caso de niños que no saben leer, tú puedes inventarte una historia, y plantearles preguntas como: «¿a dónde fue el perrito?», o «¿qué crees que hizo el niño después?». No te extiendas mucho; tu hijo en seguida querrá «leer» su historia a sus hermanos y hermanas.

Los niños algo mayores seguramente se inventarán sus propias historias sin ningún problema. Si están aprendiendo a leer y a escribir, puedes ayudarles con la escritura de las palabra difíciles.

Relájate y déjate llevar por la historia. Como se dice en el mundo editorial, tú eres el jefe de producción, no el redactor.

SE NECESITA:
- Fotografías de revistas, catálogos, etc.
- Pegamento no tóxico
- Papel
- Una grapadora, o perforadora de agujeros, y un cuaderno

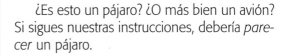

Hacer un pájaro

¿Es esto un pájaro? ¿O más bien un avión? Si sigues nuestras instrucciones, debería *parecer* un pájaro.

Coge una hoja de papel y pide a tu hijo que dibuje la figura de un pájaro, o bien copia uno de una revista. Ahora tú puedes rellenar el contorno con pegamento no tóxico y luego pegar los siguientes materiales:

Plumas: Si vives cerca del mar, o vas de visita, encontrarás abundantes plumas.

Hojas: Si vives en una zona donde las hojas cambian de color en otoño, recoge varias de distintos colores y prénsalas en un libro *(véase actividad 291: Prensar hojas).* Una vez secas, utiliza distintos colores para las diferentes partes del cuerpo del pájaro: por ejemplo, rojo, para la cabeza, amarillo para el cuello, marrón para el cuerpo, y anaranjado para las alas. Pega las hojas montando unas sobre otras para que parezcan plumas. Cuando el pegamento esté seco, tendrás una obra de arte muy natural que podrás exhibir con orgullo.

Helicópteros de papel

Si no hay ningún arce cerca de tu casa para poder jugar a semillas voladoras, siempre puedes fabricar helicópteros de papel que imitan a la naturaleza.

Recorta una tira de papel, de peso normal, que mida unos 5 x 20 cm (recuerda que recortar es tarea de adultos). Realiza los cortes indicados por las líneas continuas de la ilustración (a): Primero el corte A para formar las aspas del helicóptero. Dobla por la línea discontinua, un aspa hacia ti y la otra en dirección contraria. Luego haz los cortes B y C para poder doblar el otro extremo de la tira en tres partes longitudinales. Después dobla 1 cm de la base hacia arriba dos veces, y fíjalo con un clip de papel grande para poner peso. Observa la ilustración (b), y mantén los clips fuera del alcance de los niños.

Decora las aspas para darles color; luego deja caer el helicóptero y ve cómo gira y gira hasta llegar al suelo.

PRECAUCIÓN

Piezas pequeñas

SE NECESITA:
- Un trozo de papel
- Un clip grande de sujetar papel
- Tijeras (sólo para uso de adultos)

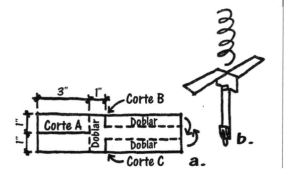

Imágenes en movimiento

¿Alguna vez has tenido un libro de esos que muestran imágenes en movimiento al pasar las páginas muy rápidamente? Corta en dos partes un buen número de tarjetas o fichas. Elige un tema, como una pelota que bota, un avión que despega o un pájaro volando en el cielo; cualquier cosa que pueda interesar a tu hijo. Luego, dibuja sucesivamente los objetos en movimiento en una posición ligeramente diferente en cada página del libro.

Por ejemplo, si estás dibujando el balón que bota, comienza situándolo en la esquina superior del dibujo de la primera página. Traza una línea en la base de la página, y también en el resto de las páginas. En cada una de ellas, dibuja la pelota un poco más cerca de la línea, hasta que llegue al suelo, y luego bote de nuevo hacia arriba.

Ahora, pide a tu hijo que decore una portada. Grapa la páginas y la portada por la parte de la izquierda, colocando el primer dibujo detrás, y el último delante. Pasa las páginas rápidamente hacia atrás y hacia delante (como si estuvieses hojeando), y la pelota, o el objeto dibujado, parecerá moverse mágicamente. La próxima vez deja que tu hijo intente hacer los dibujos.

Quién sabe; éste podría ser el principio de una gran carrera como dibujante de animación.

SE NECESITA:
- Tarjetas o fichas de cartulina
- Lápices de colores o rotuladores

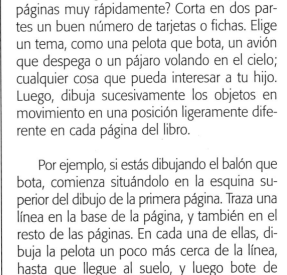

Impresión semanal de manos

57

Como la mayoría de nosotros, tú alguna vez habrás mirado a tu hijo y, asombrado, te habrás quedado pensando: «No puedo creer lo deprisa que está creciendo». Esta actividad no va a detener el paso del tiempo precisamente, pero hará que guardes un recuerdo de lo rápido que crecieron las manos de tu hijo pequeño.

SE NECESITA:
• Témpera
• Papel

Todas las semanas, un día determinado, sienta a tu hijo e imprime la huella de su mano (necesitarás una pintura de témpera y hojas de papel o de dibujo). Tu hijo se divertirá comparando la huella de su mano todas las semanas, sobre todo si cambias de color cada vez.

Por supuesto, debes anotar la fecha en cada ocasión. Tu hijo tal vez incluso quiera firmar su obra o añadir alguna nota sobre la semana que acaba de pasar. Pueden guardarse las impresiones en un sobre especial o atarlas con alguno de los métodos que se venden en las papelerías. En cualquier caso, guarda las huellas con mucho cuidado, y no las coloques cerca del papel usado que utiliza tu hijo para pintar. Estas pinturas son algo especial; representan un testimonio visual del crecimiento de tu hijo.

TRABAJOS MANUALES

58

Joyas en la cocina

SE NECESITA:
- Cuerda, hilo
- Pasta

OPCIONAL:
- Colorante alimentario

Esto te va a sorprender: la despensa de tu casa está repleta de materiales para hacer joyas. He aquí algunas sugerencias:

La pasta puede ensartarse en un hilo o trozo de cuerda para formar pulseras, collares, diademas y otros adornos. Para hacer un broche o *pin*, pega pasta en un trozo de cartón, luego sujeta un clip por detrás con cinta adhesiva, y utiliza el clip para enganchar el broche en la ropa de los niños (mantén los clips fuera del alcance de los niños pequeños). Para que las sesiones de manualidades con pasta sean más divertidas, la próxima vez que vayas al supermercado elige pasta con formas interesantes; busca estrellas, tubos, espirales, etc. También resulta divertido teñir la pasta con colorante alimentario antes de ensartarla en la cuerda. Y siempre cabe la posibilidad de utilizar otros alimentos además de la pasta, como por ejemplo cáscaras de cacahuetes.

Estos adornos los pueden llevar los niños, por supuesto, pero también podrían ponerse de moda entre los animales de peluche de la casa. Por último, no te olvides de que las joyas pueden convertirse en arte: existe la opción de hacer cuadros con ellas en lugar de llevarlas puestas. Seguro que sus amigos y familiares admirarán tales obras.

Juegos con ceras duras

La vida de las ceras duras es muy triste. Primero lucen un aspecto majestuoso, con su punta afilada, exhibiéndose orgullosas en una fila perfecta; y con el tiempo acaban cortas, desgastadas y sin punta, olvidadas en una vieja caja de zapatos.

Tú puedes resucitar estas antiguas glorias con esta actividad. Coge un puñado de ceras duras usadas de varios tamaños y extiéndelas sobre la mesa. Si tu hijo aún no sabe contar, pídele que las ordene de menor a mayor, y luego al contrario.

A continuación, pide a tu hijo que ordene las ceras por colores. Luego, en cada grupo, debe ordenarlas por tamaños, de nuevo de menor a mayor, y viceversa.

Los niños de más edad necesitan un desafío mayor. Dibuja una línea y reta a tu hijo a adivinar el menor número de ceras (de cualquier tamaño que elija) que se necesita para igualar la longitud de la línea colocando las ceras una detrás de otra. Luego pide a tu hijo que coloque las ceras en fila para comprobar cuánto se ha acercado a la respuesta correcta.

SE NECESITA:
• Ceras duras usadas
  (o lápices de colores)

OPCIONAL:
• Papel

TRABAJOS MANUALES

Jugar con dinero

Esta actividad ofrece la oportunidad de que los niños se hagan una idea de lo que significa el sistema monetario, ademas de pasarlo en grande.

SE NECESITA:

• Papel
• Lápices de colores
  o rotuladores
• Tijeras sin punta

OPCIONAL:

• Pegamento o cinta
  adhesiva de doble cara

Utilizando tijeras sin punta, el niño puede recortar papeles de colores en trozos del tamaño de un billete de cinco euros. Luego, busca cartulina o cartón de cartelería y, con tapones de botella, dibuja círculos y recórtalos como moneda de cambio.

A continuación tu hijo hará de Banco de España acuñando el dinero con lápices de colores y rotuladores. Indícale los detalles: caras, edificios y demás motivos. También puedes proporcionar al niño pegamento no tóxico o cinta adhesiva de doble cara para que pueda pegar imágenes recortadas de revistas.

Si a tu hijo se le dan bien las matemáticas, puedes ayudarle a desarrollar un sistema de cambio personal: un billete azul equivale a cinco rojos, uno rojo equivale a diez céntimos de cabeza de gorila, etc.

También puedes utilizar este dinero en otras actividades del libro, como la 304 (El Banco de los niños), y la 39 (El restaurante). Pero guárdalo en tu casa, no vaya a ser que llame a tu puerta algún inspector de Hacienda.

¿Sabe tu hijo algo acerca del sistema solar? Si es así, le gustará tener un móvil con planetas en su habitación.

Para hacer el móvil, tendrás que fabricar unas cuantas esferas de papel maché *(véase 91: Papel maché)*. El truco consiste en fabricar las esferas con las proporciones adecuadas. Esto es fácil si se utilizan globos como base de los planetas más grandes; en cuanto al resto, es cuestión de modelar las esferas a mano (no dejes los globos al alcance de niños pequeños).

Los planetas deben tener el siguiente diámetro; Mercurio: 0,9 cm; Venus: 2,3 cm; la Tierra: 2,5 cm; Marte: 1,5 cm; Júpiter: 27,5 cm; Saturno: 25 cm; Urano: 10 cm; Neptuno: 10 cm; Plutón: 0,6 cm. Éste es también el orden de los planetas, desde el más cercano al sol hasta el más lejano. Inserta en cada planeta un gancho hecho con un limpiapipas o con un cierre de pan de molde.

Una vez seco el papel maché, pinta los planetas. A Saturno se le puede colocar un anillo de cartulina. Atar un trozo de cuerda a cada gancho, y luego atar el otro extremo a una regla o un palo, o bien colgar los planetas de ganchos colocados en el techo. El móvil ya está listo para colocarlo en la habitación y contemplarlo por la noche. ¡Enciende tu linterna!

SE NECESITA:
- Globos (para uso de adultos)
- Papel maché *(véase actividad 91: Papel maché)*
- Cierres de bolsas de pan de molde
- Témperas
- Cartulina
- Cuerda

62

La bandera de la familia

• SE NECESITA:

• Un trozo de tela o una funda de almohada vieja
• Pinturas especiales para tela
• Grapadora o equipo de costura
• Tubo de cartón

OPCIONAL

• Papel y lápiz o bolígrafo

¿Cuál es el estandarte de tu familia? Deja que tu hijo lo decida y diseñe una bandera.

Necesitarás un trozo de tela (también puede servir una vieja funda de almohada abierta), pintura para tela (de venta en papelerías) y un tubo largo de cartón de algún rollo de papel de regalo. Tus hijos probablemente desearán ponerse manos a la obra rápidamente y empezar a pintar cualquier superficie de la que dispongan, al estilo libre. Los niños mayores tal vez prefieran realizar primero un boceto en papel, y luego copiarlo en la tela antes de colorearlo.

Una vez seca la tela, enrolla uno de sus lados alrededor del tubo de cartón. Fija el material con alfileres, saca el tubo y luego cose o grapa la tela (ésta es tarea de adultos). No te olvides de coser también la parte superior para que la bandera no se salga.

Ondea la bandera en todas las reuniones familiares y eventos adecuados, como Voleibol con un globo (337), u Olimpiadas locas (332). Y cuando la bandera no se utilice, colócala a la vista, en un lugar especial.

La próxima vez que tengas que hacer la lista de la compra, trata de ahorrarte un poco de tiempo. Si evitas confeccionar la lista en el último minuto, podrás hacer que tu hijo participe en esta tarea de una manera creativa, y la compra será más divertida.

SE NECESITA:
• Papel
• Lápices de colores
  o rotuladores

En lugar de apuntar tú las cosas en la lista, da a tu hijo una hoja grande de papel y algo para hacer garabatos. Luego dile lo que necesita comprar, y ayúdale a escribir, o dibujar, cada cosa.

Dibujar es más divertido, y te hará sonreír en la tienda mientras vas eligiendo los productos con esta lista tan poco convencional.

No te preocupes por las miradas burlonas de la gente: ¡Tu lista es la más original!

La tortuga y la liebre

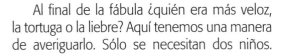

Al final de la fábula ¿quién era más veloz, la tortuga o la liebre? Aquí tenemos una manera de averiguarlo. Sólo se necesitan dos niños.

Confecciona un caparazón de tortuga con una caja grande, rectangular y poco profunda. Recorta huecos para los brazos, las piernas y el cuello (tendrás que ajustársela a la espalda cuando el niño se agache para andar a gatas). Pueden utilizarse lápices de colores, rotuladores y témperas para pintar el dibujo del caparazón.

En cuanto a la liebre, coge dos hojas de papel y dóblalas formando dos orejas de conejo. Haz un pliegue en la base y pégalo (*véase ilustración*). El pliegue ayudará a que las orejas se mantengan erguidas; pega las orejas a una cinta del pelo o a la banda de unas orejeras. Consigue una camiseta o jersey blancos, y un par de leotardos o medias blancas para completar el conjunto.

Marca una línea de salida y otra de meta, di a la liebre que camine a saltos, y a la tortuga que ande a gatas. Entre los tres, váis a despejar la vieja incógnita de una vez por todas.

Se recomienda que esta actividad sea supervisada por adultos.

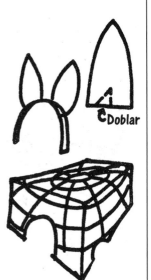

Doblar

Lancha motora

Un brik de leche o zumo puede servir para hacer una lancha motora que navegará en la bañera o en una piscina infantil. Hay que hacer lo siguiente:

Coge un brik y córtalo longitudinalmente, como muestra el dibujo. Refuerza con pegamento o cinta adhesiva (desde el interior) cualquier borde que haya podido despegarse. Luego, recorta un orificio en la parte trasera, de un diámetro de 1 cm aproximadamente. Coloca un globo dentro del brik, introduciendo su cuello por el orificio. Infla el globo, luego da la lancha a tu hijo. Dile que suelte el globo: éste saldrá zumbando a toda velocidad por la superficie del agua.

En el caso de grupos de niños, organiza carreras de lanchas. Podrías organizar un recorrido con obstáculos flotantes (haz boyas con trozos de corcho blanco, o balsas con el fondo de briks). Podrías establecer la norma de que la lancha que toque un objeto queda descalificada inmediatamente. O a la inversa: la lancha que toque más objetos gana la carrera.

Por último, considera la posibilidad de adornar las lanchas con un trozo de cartón que haga de cubierta (sujétalo con gomas). Luego se puede añadir un camarote y otras comodidades necesarias para una larga carrera.

PRECAUCIÓN

Globo

SE NECESITA:
• Un brik de leche
• Un globo

OPCIONAL:
• Cartón
• Gomas elásticas

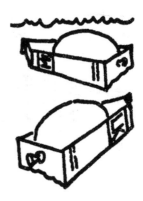

Libro de récords de la familia

Sin duda tu familia tiene alguna historia sorprendente de fuerza, coraje y habilidad que debería pasar a la posteridad.

- Una carpeta de tres anillas
- Hojas inservibles con agujeros, o bien un perforador
- Separadores o cartulinas de colores
- Papel fuerte

Consigue una carpeta de anillas y algunos separadores, o bien hazlos con cartulinas de colores. Pon etiquetas a los separadores (atletismo, juguetes, familia, etc.). También necesitarás hojas de tres agujeros. Forra el cuaderno con papel fuerte (de estraza, por ejemplo) y pide a tus hijos que lo decoren. Luego formula preguntas parecidas a éstas: ¿cuál es el mayor número de cubos de construcción que has conseguido apilar?, ¿cuánto mide tu salto más largo?, ¿cuánto tiempo has conseguido balancearte sobre un solo pie?, ¿cuánto tiempo aguantas mirando a alguien sin reírte? Para no fomentar la competitividad, se pueden plantear las mismas preguntas a cada niño, de modo que cada uno sólo compita contra sí mismo.

Anota la hazaña, el récord, el que ha hecho el récord y la fecha, colocando la información en los apartados correspondientes. Los niños que saben escribir pueden hacer de escribanos. Pega una fotografía o dibujo si es posible.

Sólo existe una regla: nadie puede desafiar los logros de los demás hasta pasadas al menos 24 horas; esto permite que todo el mundo disfrute de su día de gloria.

LIBRO DE RÉCORDS DE LOS SÁNCHEZ

Los colores del arco iris

67

Esta actividad requiere una cera dura entera, de color negro o azul oscuro, y otras ceras de cualquier color.

Consigue hojas de papel (recicla papel usado de la oficina). Pide a tu hijo que pinte densas rayas o franjas de color, una encima de otra, con ceras duras; o bien que utilice las ceras para pintar manchas de color contiguas. De cualquier forma, tu hijo debe acabar aplicando una densa capa de color negro o azul oscuro que cubra toda la hoja, de modo que los demás colores apenas se vean.

SE NECESITA:
- Papel
- Ceras duras

Ahora enseña a tu hijo a «dibujar» con el mango de una cuchara: rascando con él suavemente la capa superior, aparecerán los colores de debajo. El niño puede dibujar formas de animales, muñecos, coches, etc., sobre la capa oscura, y luego quitar con el extremo de la cuchara el negro o azul que hay dentro del contorno.

Resultado: un cuadro con los colores del arco iris, digno del Museo Reina Sofía.

TRABAJOS MANUALES

68

Luces de colores

SE NECESITA:
- Una linterna o más
- 3 globos (rojo, amarillo, y azul)

OPCIONAL:
- Una bolsa de papel

A la mayor parte de los niños les fascinan los colores. En la actividad 80 (Mezcla de colores) utilizaremos colorante alimentario para demostrar cómo se forman los colores a partir de los tres colores primarios; en esta actividad haremos lo mismo, pero con luz.

Tendrás que romper tres globos: uno rojo, uno amarillo, y uno azul (mantén los globos fuera del alcance de los niños pequeños). Estira el globo roto sobre una linterna y sujétalo con una goma elástica. Luego, en una habitación a oscuras, pide a los niños que enciendan la linterna y que apunten hacia la pared o el techo. Añadiendo distintos «filtros» de globo, se pueden obtener diferentes colores secundarios: azul + amarillo = verde; rojo + azul = morado; rojo + amarillo = anaranjado. Si dispones de varias linternas, puedes colocar un color primario en cada una, y realizar las mezclas sobre la pared o el techo.

Una variante de este juego consiste en utilizar tres linternas con «filtros» de globo (una con cada color primario), y sujetarlas dentro de una bolsa de papel grande con agujeros recortados en la base. Resultará más fácil si tu hijo y tú sostenéis cada uno una linterna dentro de la bolsa. Dirige los orificios hacia el techo y mueve las linternas en el interior de la bolsa: se formará un baile de luces y colores de arco iris que encantará a los niños.

TRABAJOS MANUALES

Manchas de colores

69

Durante mucho tiempo, se ha considerado que las manchas de tinta (o de «Rorschach») revelan secretos sobre la mente. Aunque no lo creas, las manchas de tinta (o en este caso, de colores) pueden resultar un buen entretenimiento tanto para ti como para tus hijos.

Dobla un trozo de papel por la mitad, y luego ábrelo. Coloca varias manchas de témpera a un lado del pliegue. Luego dobla el papel por la mitad de nuevo, de modo que la pintura se extienda. Se necesita algo de práctica para calcular cuánta pintura es apropiada para el tamaño de papel utilizado. Cuando desdobles el papel, te encontrarás con todo tipo de formas y colores interesantes.

¿Qué ve tu hijo en esas formas? Si se trata de una cara, dibuja el perfil (después de que la pintura se seque, claro). Si son huellas de animales, haz lo mismo. Si es una mariposa, dibuja el perfil de las alas y el cuerpo. Añade las antenas si no puedes resistirte. Por supuesto, tal vez no quieras dibujar nada en absoluto; quizá las manchas de color hablen por sí mismas.

¿Panteras rojas? ¿Galletas moradas? ¿Pies anaranjados? ¿Soles azules? Todo es posible una vez que la imaginación se pone en marcha.

Maracas de arroz

SE NECESITA:

• Arroz
• Vasos de papel
• Cinta adhesiva

A los niños les encanta el ruido, sobre todo cuando son ellos quienes lo producen. Ésta es una actividad muy divertida con la que se permite hacer ruido a los niños y al mismo tiempo se les ayuda a adquirir los principios básicos del ritmo.

Coge dos vasos de papel de igual tamaño, y colócalos de pie, uno junto a otro. Llena uno de ellos hasta la mitad, o algo menos, de arroz crudo. Coloca el vaso vacío al revés encima del lleno alineando los bordes. Pega ambos vasos rodeando los bordes con dos o tres vueltas de cinta adhesiva. Ahora ya puedes formar una orquesta de mambo con maracas de arroz.

Tal vez desees empezar por enseñar a tu hijo cómo conseguir distintos sonidos y ritmos con la maraca acelerando o aminorando la velocidad con la que se agita. Una vez que el niño se sienta seguro con ella, puede hacer una maraca para cada mano y enseñarle a componer música agitando ambos instrumentos a distintas velocidades.

Un, dos, tres: ¡Mambo!

Si quieres improvisar un espectáculo de marionetas, sólo tienes que buscar en el cajón de los cubiertos. Cucharas de servir y otros utensilios similares, servirán de armazón para hacer marionetas; tienen la forma adecuada, y además llevan el asa incorporada.

Para hacer marionetas con cubiertos, necesitarás algunos materiales que suelen encontrarse fácilmente en los hogares, como cinta adhesiva, cuerda, papel de aluminio, algodón y precintos de pan de molde. Coge una cuchara grande y pega un trozo de algodón en la parte superior: ya tienes el pelo de la marioneta. Añádele una barba de la misma manera. Puedes recortar unas orejas de cartón y pegárselas por detrás. ¿Qué tal una pajarita confeccionada con un precinto de pan de molde? ¿Y si le dibujases los rasgos de la cara con plastilina?

Para mayor diversión, haz una marioneta comestible colocando en los dientes de un tenedor guisantes y otros alimentos que consideres apropiados para marcar los rasgos faciales, y corona la marioneta con un trozo de zanahoria. ¡Qué buen truco para meter la comida en la boca de tu hijo!

Véase también: Marionetas de calcetines (actividad 72), y Marionetas de dedos (actividad 73).

SE NECESITA:
- Cuchara o tenedor
- Algodón
- Plastilina
- Papel de aluminio usado
- Cinta adhesiva

OPCIONAL:
- Guisantes, bayas, otros frutos y vegetales

Marionetas de calcetines

Si no te agrada la idea de zurcir calcetines rotos, ésta es una buena manera de darles un nuevo uso. Pero en este caso, serán las manos, en lugar de los pies, quienes caminarán con ellos.

SE NECESITA:

• Calcetines viejos
• Rotuladores
• Limpiapipas
• Hilo
• Fieltro
• Algodón

Recopila unos cuantos calcetines que pienses destinar a la bolsa de los trapos. Haz caras con rotuladores y materiales corrientes del hogar, como hilo, fieltro, algodón, o limpiapipas. Empuja hacia dentro el extremo formando una boca, para que así tus hijos puedan hacer hablar a las marionetas.

Una vez terminadas las marionetas, construye un sencillo «teatro» cubriendo varias sillas con una sábana o manta. El titiritero se esconde detrás de la manta y eleva la mano para que el público pueda ver a las marionetas en acción. A los niños pequeños a menudo les gusta que sean sus padres quienes hagan la representación. Si les da miedo, prueba a representar el cuento favorito del niño o una excursión reciente. Otra alternativa es aprovechar la oportunidad para representar una situación difícil por la que el niño esté atravesando en ese momento.

Los niños mayores posiblemente se inventarán sus propios guiones. Pero si deseas averiguar cómo te ven a ti, sugiéreles que simulen que las marionetas son los padres y los hijos de la familia. Tal vez te sorprendan los resultados.

TRABAJOS MANUALES

Marionetas de dedos

¿Buscas una manera de fabricar un juguete para tu hijo pequeño y al mismo tiempo algo que complemente el disfraz de Carnaval del mayor? Corta los dedos de unos guantes viejos y utilízalos para hacer marionetas. Lo que queda de los guantes dáselo a tus hijos mayores; podrán utilizar los guantes rotos para vestirse de vagabundos o cualquier otra cosa por el estilo.

En caso de no tener unos guantes viejos (o ningún hijo adolescente), se pueden fabricar marionetas para dedos con cáscaras de cacahuetes, trozos de fieltro, dedales y, por supuesto, con tiritas. Utiliza rotuladores para dibujar las caras y pega encima hilo o algodón con pegamento para simular el pelo, la barba y otros rasgos.

Intenta fabricar un teatro recortando una ventana (de unos 15 cm²) cerca de un extremo de una caja de cartón. Quita todas las solapas excepto las situadas en el mismo extremo de la ventana. Coloca la caja en posición vertical, de modo que la ventana quede en lo más alto y mirando hacia el público. Introduce la mano por debajo y comienza la función mostrando los dedos a través de la ventana.

SE NECESITA:
- Unos guantes viejos o bien cáscaras de cacahuetes, tiritas o dedales
- Material para decorar

OPCIONAL:
- Una caja de cartón (de unos 30 cm de altura)

74

Marionetas de papel que andan (o caminando con los dedos)

¿Cómo dar vida a una marioneta de papel? Con los dedos.

SE NECESITA:

• Cartón
• Lápices de colores
  o rotuladores
• Cáscaras de cacahuetes,
  dedales o papel

Primeramente, pide a tu hijo que dibuje el contorno de personas de juguete, o de animales, en un cartón fino, eliminando las piernas. Las figuras deben tener una altura de unos 8 o 10 cm. Pide al niño que coloree los dibujos con lápices de colores o rotuladores. Ahora entras tú en acción: recorta dos orificios para los dedos en la base de las figuras, correspondiéndose con las piernas (recuerda que recortar es tarea de adultos). Los dedos se colocan en los orificios introduciéndolos desde detrás, y se encargan de hacer andar a la marioneta. En el caso de marionetas que representan personas (o animales extraños), se les pueden hacer zapatos con cáscaras de nueces, dedales o trozos de papel.

Tu hijo y tú podéis hacer representaciones por turno, o bien colocaros cada uno una marioneta en cada mano y montar un espectáculo de cuatro marionetas a la vez.

TRABAJOS MANUALES

Masa para modelar

Esta masa hará las delicias de niños (y padres) de todas las edades. Es más fácil de moldear que la arcilla, y también más fácil de limpiar.

Las tarea de cocinar deben realizarlas sólo los adultos. Mezcla $1/2$ taza de harina, una taza de azúcar y una cucharada de alumbre en polvo (el alumbre se encuentra en la sección de especias de los supermercados). Añade una cucharada de aceite y una taza de agua hirviendo. Remueve la mezcla hasta que se enfríe, incorpora colorante alimentario y amasa (a tu hijo le encantará ayudar). Una vez lista la masa, surte a tus hijos con moldes de galletas, rodillos de amasar, un triturador de ajos, espátulas o cualquier cosa que pueda utilizarse para cortar y dar forma a la masa. Saca platos de juguete, cacerolas, cubiertos, etc., por si a tu hijo le apeteciera celebrar una fiesta.

Esta masa puede durar meses. Guárdala siempre en un recipiente hermético tras su uso, o de lo contrario se secará. Afortunadamente, hasta la masa más reseca puede arreglarse si se rocía con agua y luego se guarda en un recipiente hermético. Después de un día aproximadamente, sáquese y amásese. Estará como nueva.

Si se desea elaborar una masa con una textura más fina, léase la receta de la actividad 76, Masa para modelar (calidad superior), algo más complicada.

SE NECESITA:
- Harina
- Azúcar
- Aceite
- Alumbre
- Un recipiente
- Moldes para galletas
- Utensilios de cocina
- Colorante alimentario

76

Masa para modelar (calidad superior)

 PRECAUCIÓN

Cocina

SE NECESITA:

- Harina
- Sal
- Agua
- Aceite
- Nata líquida
- Utensilios de cocina

Si a tu hijo le ha gustado la receta de modelar fácil (75: Masa para modelar), aquí te ofrecemos una receta más difícil con la que se obtiene una masa más consistente y de textura más fina. Para elaborarla no se requiere un doctorado en química, pero sí fuerza en los brazos y en las muñecas.

En una cacerola mezcla 3 tazas de harina, $1\frac{1}{2}$ taza de sal, 3 tazas de agua, 2 cucharadas de aceite, 1 cucharada de nata y unas cuantas gotas de colorante alimentario. Pon la cacerola a fuego lento (tarea de adultos), removiendo sin cesar hasta que la masa se despegue de las paredes de la cacerola, y ya no se pueda remover con la cuchara (ahí es donde se necesitan buenos músculos). Saca la mezcla de la cacerola; una vez fría, amasa durante 3 o 4 minutos hasta que su tacto sea suave, y ya estará lista para la acción.

Pon la masa en manos de tus hijos y equípales con un rodillo de amasar, moldes de galletas, tapas de envases (para hacer círculos) y diversos utensilios de cocina con los que puedan dar forma a la masa. Con un triturador de ajos también se pueden hacer formas interesantes.

Guarda la masa en un envase que cierre herméticamente. Si se seca, añade unas cuantas gotas de aceite o de agua y podrá volver a usarse.

 TRABAJOS MANUALES

Masa para modelar de Judy

 PRECAUCIÓN

Cocina

Con esta receta de masa casera para modelar podrás «hornear» cualquier objeto que modele tu hijo (hornear es tarea de adultos).

Para elaborar la masa de Judy, pide a tu hijo que mezcle cuatro tazas de harina, una taza de sal, y $1^1/_2$ tazas de agua. Cuando los ingredientes estén mezclados uniformemente, extiéndelo todo con un rodillo, y luego pide a tu hijo que, «con las manos en la masa», modele algunas figuras. Utiliza moldes para galletas y envases de plástico para dar forma. Si los niños están modelando adornos u otros tesoros para colgarlos de una cuerda, recuérdales que deben hacer un orificio en cada objeto.

Una vez terminadas las obras de arte, cuécelas en el horno a 90 °C durante unas tres horas. Es importante mantener la temperatura baja y hornear durante mucho rato: se trata de evaporar el agua (recuerda que los niños no deben manipular el horno). Cuando los objetos estén fríos, decoradlos con pinturas de témpera.

Gracias a Judith Burros por esta receta; los adornos de navidad que hicieron sus hijos con su masa casera hace 20 años se mantienen en perfecto estado.

SE NECESITA:
- Harina
- Sal
- Agua
- Témperas

OPCIONAL:
- Moldes para galletas
- Envases de plástico

78

Máscaras con platos de papel

La alegría de disfrazarse en carnaval no tiene por qué limitarse a una vez al año. Un plato de papel y algunos materiales de decoración pueden hacernos pasar un buen rato cualquier día de la semana.

Hacer una máscara con un plato de papel es muy fácil. Recorta los orificios para los ojos (recuerda que recortar es tarea de adultos), luego deja que tu hijo dibuje los rasgos de la máscara con lápices de colores y rotuladores. Si quieres ser más original, utiliza materiales como algodón o hilo para hacer pelo y barbas, limpiapipas como bigotes de animales o antenas, y papel de lija o limas de uñas para cejas y bigotes. También puedes recortar orejas, cuernos y otros rasgos faciales en cartulina y pegarlos; las posibilidades son casi infinitas.

Por último, coloca un mango en la base inferior de la máscara. Un palillo de comida china, una cuchara, o un tubo de cartón de una percha servirán. Tu hijo ya tiene todo listo para jugar. Si hay suficientes niños y bastantes platos de papel, podrías formar un zoo de lo más original.

Máscaras y cascos

Las máscaras no sirven sólo para los carnavales; ¡son para jugar todos los días!

La manera más fácil de hacer máscaras, por supuesto, es recortar orificios en bolsas de papel, y luego decorarlas con lápices de colores o rotuladores (somos conscientes del peligro de asfixia que representan las bolsas de plástico). Si deseas máscaras más sofisticadas, utiliza la receta de papel maché (actividad 91) con globos como base. Deja unos orificios para los ojos y la boca, luego explota los globos cuando el papel maché esté seco y decora las máscaras con témperas *(véase 30. Desfile de dinosaurios)*. Tal vez desees pegar un forro de fieltro en el interior de las máscaras de papel maché para que resulten más confortables. Por otro lado, con globos grandes se pueden hacer cascos completos para disfrazarse.

Algunas de las máscaras preferidas por nuestra familia son las siguientes: máscaras de animales (los limpiapipas son estupendos para simular los bigotes de los tigres); máscaras de payasos (las pelotas de ping-pong pueden convertirse en unas narices de payaso perfectas); cascos de astronautas o de buzos (con tubos del papel de cocina se hacen unos magníficos tubos de respiración); y máscaras o cascos de robots (decóralos con papel de aluminio, y utiliza pajas para las antenas). Ésta es la máscara que ha tenido más éxito en nuestra casa: el autorretrato de nuestro hijo.

PRECAUCIÓN

Globo

SE NECESITA:
• Bolsas de papel
• Lápices de colores
  o rotuladores

OPCIONAL:
• Papel maché
• Globos
• Papel de aluminio
• Fieltro

Mezcla de colores

A continuación presentamos una forma rápida y segura de convertir tu cocina en un laboratorio infantil.

SE NECESITA:
- Colorantes alimentario
- Envases
- Cuentagotas
- Cuentagotas grande de los que se usan para rociar alimentos
- Cuchara
- Vasos de medir

Reúne envases de diversos tamaños, botes de colorantes alimentario, y varios instrumentos de «laboratorio»: cuentagotas, cucharas, vasos de medir, etc. Pero, antes de que tus hijos se adentren en el mundo de la ciencia, explícales que basta con una o dos gotas de colorante alimentario para este experimento.

Los más pequeños simplemente disfrutarán mezclando colores y vertiendo líquidos de un envase a otro. Dependiendo de la edad del niño y de su capacidad, se puede aprovechar también esta actividad para explicar cuáles son los colores primarios (rojo, azul y amarillo) de qué modo pueden mezclarse para obtener multitud de colores (azul + amarillo = verde; rojo + azul = morado; rojo + amarillo = naranja). Los más mayores tal vez quieran disponer de un cuaderno de notas del laboratorio para apuntar, por ejemplo, lo que sucede cuando se mezcla el doble de rojo que de azul para formar morado. También es una buena manera de aprender medidas. Ahora veamos, ¿a cuántos gramos equivale un vaso de medir?

Mi mejor amigo

¿Tiene tu hijo algún amigo íntimo del colegio o la guardería (un amigo al que aprecie mucho)? Si es así, ¿por qué no hacer una tarjeta de felicitación a propósito de su amistad?

Proporciona a tu hijo unas tijeras sin punta y cartulinas de colores, y ayúdale a recortar un rectángulo del tamaño apropiado (si no tienes unas tijeras sin punta quizá debas tú encargarte de recortar). Luego pide a tu hijo que piense qué es aquello que hace que su amigo o amiga sea... en fin, tan amigo.

¿Comparten sus juguetes? ¿Les gusta jugar a los mismos juegos? ¿Tienen experiencias comunes (por ejemplo, fiestas de cumpleaños a las que hayan asistido juntos)? ¿Les gustan las mismas comidas? ¿Esperan con ilusión las mismas vacaciones?

Sea cual sea el motivo que haga que esta amistad sea especial, pide a tu hijo que lo escriba en la tarjeta (o hazlo tú si él no sabe escribir), luego da comienzo a la decoración.

El siguiente paso le corresponde a tu hijo, y es el más divertido de todos: entregar la cariñosa tarjeta a su destinatario.

SE NECESITA:

- Cartulinas de colores
- Tijeras sin punta
- Lápices de colores
- Bolígrafo o lápiz

TRABAJOS MANUALES

Molinillo de papel

SE NECESITA:

- Papel resistente
- Rotuladores, lápices de colores
- Un alfiler
- Cartulina
- Un lápiz con goma

Para construir un molinillo de papel, coge un cuadrado de papel resistente de unos 15 cm de lado, y pide a tu hijo que lo decore con rayas, círculos, líneas, manchas de colores o cualquier otra cosa que desee. Dobla el papel decorado diagonalmente en ambos sentidos. Ahora viene la tarea de montaje (propia de adultos). Corta a lo largo de las líneas diagonales hasta que falten unos 2 cm para llegar al centro *(véase ilustración)*. Luego dobla cuatro esquinas hacia el centro, solapándolas de forma que se puedan sujetar en el centro con un alfiler. Clava un alfiler en el molinillo y luego en un diminuto cuadrado de cartulina; después pínchalo en la goma de un lápiz. Asegúrate de que el alfiler permite girar al molinillo; dobla el alfiler para que nadie se haga daño, con cuidado de que la punta no quede hacia fuera. No dejes el molinillo en manos de niños muy pequeños.

Guarda el molinillo para un día de viento, o utilízalo con la actividad 321 (Observatorio meteorológico) para determinar en qué dirección sopla el viento. El niño puede probar con molinillos de distintos tamaños para ver cuál de ellos se mueve a mayor velocidad.

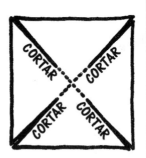

Aunque tu hijo no pueda leer ni escribir, esta actividad le entretendrá y le proporcionará información sobre otras culturas.

En una hoja de papel cualquiera, escribe las palabras «Noticias de» y a continuación el nombre de un país, por ejemplo, «Noticias de Japón». Luego elabora algunos «artículos» con tu hijo. Primero pregúntale qué sabe sobre Japón (su idioma, comida, dónde está situado en el mapa, etc.). Después escribe unas cuantas frases sobre cada tema. Si puedes encontrar una muestra de escritura japonesa, di a tu hijo que trate de imitarla. Y no te olvides de pegar fotografías relacionadas con el país del que se está hablando. No hace falta hacerse un experto en los países en cuestión; basta con unos cuantos datos de carácter general. Si deseas realizar un trabajo más serio, un buen atlas o una guía de viaje de los países tratados te proporcionará muchos temas de los que poder hablar con tu hijo.

A medida que escribas más noticias de diferente países, ve reuniéndolas en un cuaderno. Busca un dibujo del globo terráqueo que puedas poner en la portada, y tendrás el mundo entero en el cuarto de jugar.

SE NECESITA:
• Papel
• Bolígrafos, lápices de colores o rotuladores

OPCIONAL:
• Cuaderno
• Dibujo del globo terráqueo

84

Observatorio casero

Esta sencilla actividad recrea la experiencia de observar la luna y los planetas a través de un telescopio.

Se necesita un tubo largo de al menos 5 cm de diámetro (en tiendas de material artístico y papelerías venden tubos de envío postal). Busca una caja de al menos 75 cm de largo que se mantenga de pie verticalmente. En una de sus caras, recorta un orificio a unos 5 cm de distancia del borde superior, y en la cara opuesta, otro orificio a unos 20 cm del borde superior (recuerda que recortar es tarea de adultos). Los orificios deben ser lo bastante grandes como para encajar en ellos el tubo. Esto será «el trípode» (*véase ilustración*).

En cuadrados de papel pega (o dibuja) fotografías de revistas con los planetas, la luna, cometas, etc. (ahora entenderás para qué te ha servido guardar todas esas revistas atrasadas del *National Geographic*). Dirige el telescopio hacia una ventana durante el día, o hacia una lámpara por la noche (hacia la pantalla, nunca directamente a la bombilla). Sostén un dibujo o fotografía delante del extremo del tubo, y di a tu hijo que se siente y mire por el telescopio. Pídele que describa lo que ve «en el cielo», luego pasa a otra imagen (tal vez desees leer antes algo de astronomía básica para explicar a tu hijo algunas cosas interesantes).

Por supuesto, pueden guardarse algunos dibujos y fotografías sorpresa para el último momento, como un platillo volante pilotado por tu hijo.

Oficina de correos

A la mayoría de los niños les fascina la Oficina de Correos. Si tu hijo nunca ha estado allí, tal vez quieras llevarle a verla antes de probar esta actividad.

Una silla con el respaldo abierto servirá de ventana de la oficina, aunque se puede hacer una versión más sofisticada con una caja de cartón grande. De cualquier modo, proporciona al empleado de correos un peso de cocina, o una báscula, para pesar el correo. Una esponja empapada de tinta no tóxica servirá de sello de goma (o también un estampador como el de la actividad 187: Estampado con patata).

Hablando de sellos, tu hijo puede decorar trozos de papel del tamaño de sellos, y ponerles detrás cinta adhesiva de doble cara. Ahora la Oficina de Correos está lista para trabajar.

Trae sobres de propaganda, sobres usados, pequeños paquetes (cajas de alimentos forradas con papel), y otras cosas similares. Si los niños son mayores, busca un mapa de España, o del mundo, y diles que decidan el franqueo en función de la distancia. Ésta es una buena ocasión para enseñarles un poco de geografía. Los más pequeños probablemente te dirán que todos los franqueos cuestan lo mismo. Simplemente sonríe y paga.

Véase también la actividad 260: Diversión Filatélica.

SE NECESITA:
- Sobres y cajas
- Papel
- Lápices de colores y rotuladores
- Cinta adhesiva de doble cara

OPCIONAL:
- Una báscula
- Cajas pequeñas

TRABAJOS MANUALES

Paisaje marino

Asombra a tu hijo con un mar de colores.

En primer lugar, busca un recipiente de plástico transparente con una tapa de rosca. Vierte agua y aceite a partes iguales, y luego varias gotas de colorante alimentario.

Comienza con un color; pide a tu hijo que agite el bote y observa lo que sucede cuando el aceite y el agua se separan y las gotitas se arremolinan y bailan. Luego añade otro color y observa cómo ambos se mezclan y se transforman en un paisaje marino dentro del bote.

(Azul + amarillo = verde; rojo + azul = morado; rojo + amarillo = naranja).

Mientras tu hijo experimenta con los distintos colores, prueba a iluminar el bote con una linterna (explica al niño que la luz no debe dirigirse nunca a la cara de las personas). O bien coloca un filtro de color en la linterna.

Haga lo que haga, seguro que el paisaje marino hace volar la imaginación de tu hijo.

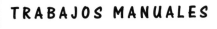

Paisaje nevado

PRECAUCIÓN

Piezas pequeñas

Todos conocemos esos juguetes de plástico que contienen nieve artificial: al agitarlos empieza a nevar sobre una pequeña casa suiza o un trineo tirado por un reno. Tus hijos se divertirán el doble si hacen ellos su propio paisaje nevado con materiales fáciles de encontrar en casa.

Coloca unos cuantos juguetes pequeños en el fondo de un envase de plástico. Los juguetes (casas, personas etc.) deben ser de plástico, sin ninguna parte metálica. Tampoco deben flotar (si lo hacen, trata de añadirles peso pegando una moneda en su base).

Luego, llena el envase con agua suficiente como para cubrir los juguetes. Espolvorea purpurina en el agua (suficiente como para hacer la escena de nieve). Cuando la purpurina se pose, agita el agua con una cuchara: parecerá una ventisca. O bien, si el envase tiene una tapa que ajuste herméticamente, cierra y agítalo. También se pueden mezclar purpurinas de distintos colores para lograr efectos originales. Si deseas un efecto realmente especial, agita el envase, apaga la luz e ilumínalo con una linterna. El reflejo de la luz en la purpurina ofrecerá un espectáculo deslumbrante.

SE NECESITA:
- Un envase de plástico
- Juguetes pequeños de plástico
- Purpurina
- Agua
- Una cuchara

OPCIONAL:
- Linterna

Pandereta con chapas

¿Tienes en casa a un percusionista en ciernes? Ésta es una buena manera de construir una pandereta con tan sólo un par de elementos fáciles de encontrar.

Lo único que se necesita es un trozo pequeño de madera, cuatro chapas de botella, un martillo y un par de clavos (el martillo y los clavos son sólo para uso de adultos).

Deja que tu hijo observe cómo tú clavas un clavo en cada chapa y en la madera. Pero no claves los clavos hasta el fondo; deja un poco de espacio para que las chapas se muevan. Cuatro chapas parecen ser la cantidad ideal, pero puede variarse el número si se desea. Consulta a tu músico particular; tal vez proponga alguna idea para decorar las panderetas.

¿Quién se anima a dar un concierto de pandereta ahora mismo?

Se puede fabricar un panel de actividades simplemente extendiendo una camisa de franela o una toalla de bebé, sobre un trozo de cartón y sujetándolo con clips. Es mejor que la tela sea de color liso, pero eso tal vez requiera una excursión a una tienda de telas.

Ahora fabrica elementos que los niños puedan fijar al tablero. Las figuras hechas con fieltro funcionan muy bien, ya que las fibras de este material se agarran bien a la franela. Otra posibilidad es recortar fotografías de revistas, reforzarlas con papel adhesivo, y luego pegar fieltro, papel de lija o velcro por detrás.

A los niños pequeños les encantará pegar y despegar los recortes en el panel. Si tienes un trozo de franela inservible, puedes dibujar un tablero de tres en raya para niños mayores, o cualquier otro juego que les guste.

Si has empleado una camisa en perfecto estado para la ocasión, no te preocupes: seguirá siendo una estupenda prenda de vestir. Pero no te olvides de quitar los trozos de fieltro, o de lo contrario serás blanco de todas las miradas la próxima vez que la lleves puesta cuando vayas el supermercado.

SE NECESITA:
- Una vieja camisa de franela o una toalla de bebé
- Trozos de fieltro

OPCIONAL:
- Papel de lija o velcro
- Pegamento

90

Papel antiguo

 PRECAUCIÓN

Vigilar atentamenre

SE NECESITA:

- Una batidora
- Agua
- Tela metálica
- Toallas
- 2 envases de plástico
- Papel de periódico hecho tiras

Esta actividad, más apropiada para niños mayores, requiere algunos accesorios y paciencia, pero vale la pena realizarla. Las primeras fases corresponden a un adulto. Llena el vaso de una batidora con agua templada hasta una altura de dos tercios. Enciende la batidora a velocidad lenta; luego añade aproximadamente diez tiras estrechas de papel. No utilices papel satinado ni de revistas. Bate hasta que la mezcla esté pastosa. (Precaución: no dejes que los niños utilicen la batidora).

Coge dos trozos de tela metálica de la que se usa para hacer mosquiteros en las ventanas. Los trozos de tela deben caber en el fondo de dos envases de plástico poco profundos e idénticos, cuyo fondo se habrá recortado en forma de rectángulo del tamaño del papel que se va a fabricar. Coloca las telas metálicas entre los envases encajados uno dentro de otro, y luego ponlo todo en el fregadero. Vierte la mezcla de la batidora en el envase superior. Deja que la humedad se filtre y caiga en el fregadero. Saca el envase superior, y luego saca la tela metálica (junto con la mezcla) y ponla sobre la encimera. Coloca la otra tela sobre la pasta, cúbrelo todo con una bolsa de plástico y amasa con el rodillo. Retira el plástico (pero no las telas metálicas), y cubre la pasta con un paño de cocina grueso y alguna cosa pesada. Deja reposar.

El tiempo de secado variará entre uno y tres días. Una vez seco, despega con cuidado la lámina de papel casero y disponte a escribir con una pluma *(véase actividad 41: Escritura con pluma)*.

Papel maché

Es sorprendente lo que se puede hacer con unos cuantos periódicos viejos, un poco de harina y agua. Mézclalo todo y obtendrás papel maché. A continuación presentamos la técnica básica:

Rasga una buena cantidad de tiras de periódico largas, de unos 3-5 cm de ancho. Luego busca (o haz) una base: un tubo de cartón ancho puede servir como base para hacer un túnel, y una caja de cartón servirá para hacer un edificio. También se pueden fabricar bases con madera y otros materiales, pero recuerda siempre que tendrás que sacar la base una vez finalizado el proyecto, de modo que cúbrela bien con plástico previamente (ésta es una tarea de adultos).

En un recipiente mezcla agua y harina hasta formar una pasta lo bastante fluida como para cubrir las tiras de papel. Prueba con pequeñas cantidades de la mezcla primero; si está demasiado líquida, el papel se convertirá en una papilla. Sumerge el papel en la pasta; muestra a tu hijo cómo escurrir las tiras con dos dedos. Cubre la base elegida con las tiras de papel ligeramente empapadas, entrecruzándolas para formar capas parcialmente superpuestas. Una vez acabada la obra, colócala en un lugar cálido y seco. Cuando se seque, extrae la base y proporciona a tu hijo témperas para decorar la nueva creación.

 PRECAUCIÓN

Envoltorio de plástico

SE NECESITA:

- Periódicos
- Harina
- Agua
- Un recipiente para la mezcla
- Témperas
- Otros materiales que hagan de base

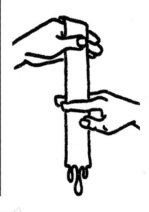

TRABAJOS MANUALES

Paracaídas

PRECAUCIÓN

Piezas pequeñas

SE NECESITA:

• Un trozo cuadrado de tela
  o un pañuelo
• Cuerda
• Un juguete pequeño
• Un anillo de un llavero,
  un limpiapipas o un
  precinto de pan de molde
• Rotuladores o pinturas
  al agua para tela

Tú puedes fabricar un sencillo paracaídas que dejará atónito a tu hijo mientras desciende hasta el suelo. Se hace de la siguiente manera:

Comienza con un trozo de tela, o un pañuelo, y cuatro trozos de cuerda de *igual* tamaño (la longitud de la cuerda es muy importante). Antes de hacer el paracaídas, anima a tu hijo a decorar la tela con rotuladores o pinturas al agua especiales para tela. Éstas se venden en papelerías o en tiendas de material de arte. Supervisa atentamente la utilización de la pintura.

Una vez acabada la decoración y seca la tela, ata las cuerdas a las esquinas del paracaídas. Coge los extremos sueltos y átalos a un anillo de un llavero, o fabrica uno con un limpiapipas o un precinto de pan de molde. Por último, ata al anillo otro trozo de cuerda con un pequeño juguete o muñeco de poco peso.

Deja caer el paracaídas desde lo alto de una silla o una escalera. Tu hijo podrá atrapar el paracaídas en el aire o dirigirlo hacia un objetivo o una «zona de aterrizaje». Si en lugar de un juguete coloca en el paracaídas una pequeña caja de cartón, el niño podrá «probar» con varios objetos para ver cuál de ellos tarda menos en llegar al suelo.

TRABAJOS MANUALES

Pescar con un limpiapipas

Este juego es una variante de la Pesca magnética *(actividad 163)*, pero requiere algo más de destreza. Aún así, los niños muy pequeños también se divertirán con él, y el juego se puede adaptar a distintos niveles de habilidad.

En primer lugar, fabrica una caña de pescar del tamaño adecuado para tu hijo, tal y como se indica en Pesca magnética. En lugar de atar un imán a la cuerda, coloca un limpiapipas o un cierre de bolsa de pan de molde. Dóblalo hasta darle forma de anzuelo. Para que sea más divertido, decora las «cañas» con hilo, papel de aluminio o cualquier otro material que tengas en casa. También se puede atar una llave a la cuerda para que haga de pesa de plomo.

Haz peces de cartulina, o recorta imágenes de peces en revistas y pégalas sobre una base de cartulina. Perfora un orificio en la parte delantera de cada pez, pasa un cierre de pan de molde a través del agujero, y luego retuércelo, formando un anillo. Para variar la dificultad del juego, basta con aumentar o disminuir el tamaño de los anillos de los peces.

Disemina los peces por el suelo, y di a los niños que lancen el hilo desde un sofá o una mesa baja: cualquiera de las dos cosas hará las veces de «muelle» o «barca de pesca».

SE NECESITA:
- Una regla larga o un tubo de cartón
- Cuerda
- Cinta de carrocero
- Limpiapipas
- Cierres de bolsas de pan de molde
- Cartulina

OPCIONAL:
- Hilo
- Papel de aluminio usado

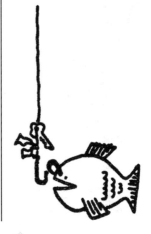

TRABAJOS MANUALES

94

Ping-pong-bol

Se trata de hacer un juguete de fabricación casera que pondrá a prueba la destreza de tu hijo.

Coge un trozo de cartón ondulado, de unos 60 x 45 cm. El lateral de una caja servirá. Recorta cuatro o cinco orificios ligeramente mayores que una pelota de ping-pong, repartiéndolos por el tablero (recuerda que recortar es tarea de adultos). Luego marca los cuatro bordes del tablero, de tal manera que puedan doblarse formando un marco de unos 2 cm. Pega las esquinas con cinta adhesiva para sostener las paredes del marco.

Coloca una pelota de ping-pong en la base del tablero. El objetivo del juego es maniobrar el tablero hasta lograr que la pelota llegue al otro lado sin caer en ningún agujero. Se puede variar la dificultad del juego utilizando mayor o menor cantidad de agujeros, y colocándolos más juntos o más separados. También se pueden pegar varios «parachoques» o quitar el marco para que el jugador tenga que preocuparse de mantener la bola en el tablero además de esquivar los agujeros. Y la prueba de fuego: trata de jugar con más de una pelota al mismo tiempo.

SE NECESITA:

- Tijeras (para uso de adultos)
- Un trozo de cartón ondulado (60 cm x 45 cm)
- Cinta adhesiva
- Pelotas de ping-pong

Pintar con arena

95

La próxima vez que tu hijo vuelva a casa con los zapatos y la ropa llena de arena después de jugar en el arenero, no saques la aspiradora a toda prisa; guarda la arena para una sesión de pintura.

Para pintar con arena, primero dibuja un objeto o una escena en una hoja de papel con un lápiz blando. También se puede dibujar el contorno de un juguete, o bien utilizar uno de los dibujos de tu hijo. Luego, vierte una pequeña cantidad de cola blanca en una tapa de plástico, y aplica la cola al dibujo con un bastoncillo de algodón. Deja la capa lo más homogénea posible, y trata de mantenerte dentro de la línea del dibujo. Espolvorea una capa uniforme de arena sobre la cola. Cuando la cola esté seca, se podrá pintar la arena con témperas.

Por último, se pueden añadir otros dibujos al cuadro de arena. Por ejemplo, tu hijo podría dibujar árboles y el cielo de fondo en un cuadro de un dinosaurio, o tú podrías adornar un dibujo de una casa con fotografías de personas y coches recortadas de revistas. Haga lo que haga, seguro que resulta una obra de arte que merece la pena exhibir en casa.

SE NECESITA:
• Arena
• Cola blanca
• Papel
• Témperas
• Un bastoncito de algodón

OPCIONAL:
• Juguetes o dibujos para marcar el contorno

Pintar retratos

Con esta actividad podrás ahorrarte dinero en un retrato de familia, y además divertirte con tu hijo.

Construye un caballete colocando un trozo de cartón duro sobre el respaldo de una silla (quizá desees cubrirla antes). Suministra a tu hijo una hoja grande de papel, lápices de colores, rotuladores, o pinturas. Fija el papel al cartón con cinta adhesiva. Un delantal y un sombrero de pintor *(véase actividad 106. Sombreros de papel)* completarán el equipo.

Ahora reúne a la familia y deja que tu hijo decida lo que debe ponerse cada uno o dónde tienen que sentarse (a veces esto da lugar a extrañas composiciones). En cuanto a los retratos individuales, deja que el niño decida la postura, la expresión facial, etc.

Cuando tu hijo termine de pintar, haz marcos de cartulina o cartón; tal vez tengas que pegar las pinturas a una cartulina para evitar que se doblen. Escribe la fecha y el tema en el reverso de las obras de arte; tus hijos te lo agradecerán cuando sean mayores.

Hoy, en la sala de estar. Mañana, en el Museo del Prado.

Esta actividad puede manchar un poco, pero esto forma parte de la diversión.

Pide al niño que decore con rotuladores al agua una hoja especial para pintar con los dedos (son muy suaves y brillantes). La decoración podría consistir en dibujar una diana, manchas de colores, un objeto, garabatos, letras, números, figuras, su nombre o cualquier otra cosa. Después, lleva la hoja al cuarto de baño y pégala a la pared justo encima de la bañera o dentro de la ducha.

SE NECESITA:
• Rotuladores al agua
• Papel satinado
• Un pulverizador
• Un bote

Coge un pulverizador de plantas, o cualquier bote con spray; llénalo de agua y colócalo en posición de rociado fino. Di a tu hijo que apunte al dibujo desde fuera de la bañera y, sin tocar el papel con la mano, trate de «borrar» la obra de arte. El agua hará que los colores se corran y se deslicen por la bañera, formando fantásticos dibujos y tonalidades. El dibujo adquirirá un efecto subacuático. Cuando tu hijo considere completa su obra de arte, retira el papel y déjalo secar.

Resultará muy divertida la novedad de jugar con chorros de agua en casa; además, tu hijo disfrutará con esta nueva forma de expresión artística.

Plantillas de corcho blanco

- Bandejas de corcho blanco
- Lápiz
- Bolígrafo
- Témperas

¿Qué se puede hacer con esas dichosas bandejas de corcho blanco que vienen con las frutas y verduras del supermercado? Límpialas bien y haz plantillas con ellas.

En primer lugar, coge una bandeja y pide a tu hijo que dibuje algo en el fondo con un bolígrafo. Presione el bolígrafo lo suficiente como para dejar una hendidura, pero no tanto como para cortar la bandeja. También se puede trazar el contorno de algún animal de juguete, de un camión, etc. Si optas por el método del perfilado, tal vez prefieras usar un lápiz primero y luego repasar las líneas con el bolígrafo.

Una vez marcado todo el dibujo en la bandeja, utiliza un pincel para aplicar una fina capa de pintura de témpera. Si aplicas demasiada pintura las hendiduras se llenarán, y no obtendrás una imagen nítida cuando presiones el corcho contra un papel, que es precisamente el paso siguiente. El dibujo debe aparecer como una línea blanca sobre un fondo de color uniforme.

Para variar, pide a tus hijos que escriban su nombre o algún mensaje. También se puede emplear esta técnica para hacer tarjetas de felicitación o etiquetas identificativas.

Prueba de geografía

Incluso aquellas personas que aseguran no saber nada de geografía conocen la forma que tiene Italia.

Esto se debe a que Italia parece una bota, y una bota es más fácil de recordar que otras formas más abstractas. A esto le llamamos «el principio de la bota».

SE NECESITA:
- Papel
- Bolígrafo o lapiceros
- Un mapa

Con un poco de imaginación, tu hijo y tú podéis lograr que otras partes del mundo sean fáciles de recordar, aplicando el principio de la bota. En resumen, este principio consiste en hacer que una forma abstracta sea más fácil de recordar buscando algún parecido entre dicha forma y un objeto corriente. Dibuja un país o una comunidad autónoma y luego pregunta a tu hijo a qué se parece. Una vez que se decida por un objeto parecido, pásale los lápices de colores y haz que convierta en realidad la nueva asociación.

Según hemos descubierto nosotros, el estado de Indiana es en realidad un viejo con barba, Florida un calcetín torcido, y Nevada el plato (meta) de un campo de béisbol, partido por la mitad.

Indianapolis

TRABAJOS MANUALES

Puntos y más puntos

Esta actividad da un vuelco a la pintura y el dibujo tradicionales, abriendo todo un mundo nuevo de color y diseño para tu hijo.

Es muy sencillo. Tanto si tu hijo pinta con un pincel, dibuja con un lápiz o colorea con lápices de colores, puede aplicar una misma técnica: los puntos. Algunos niños tal vez se sientan más cómodos dibujando primero un boceto suave antes de empezar con la sesión de puntos; otra posibilidad consiste en utilizar los dibujos de un libro de colorear (los aficionados a la historia del arte recordarán que Georges Seurat logró muy buenos resultados con esta técnica).

Si estáis empleando color, prueba a hacer un cambio: pide a los niños que utilicen únicamente colores primarios (rojo, azul y amarillo), y que los «mezclen» pintando varios puntos de colores muy cerca unos de otros. Por ejemplo, los puntos azules y rojos, al verse de cerca, parecerán azul y rojo, pero si se contemplan a cierta distancia, se verá un bonito color morado.

Aunque no seas un Rembrandt, puedes utilizar tus habilidades pictóricas para entretener a tu hijo. Con esta actividad, tú desafiarás a tu hijo a que identifique un dibujo a medio hacer, y luego él te ayudará a terminarlo.

SE NECESITA:

• Papel
• Bolígrafos, lapiceros, lápices de colores o rotuladores

En un trozo de papel, comienza a dibujar un objeto, por ejemplo un coche (que sea sencillo). Comienza por un solo elemento (digamos, un círculo para la rueda trasera) y pregunta a tu hijo qué puede ser. Si el niño lo adivina, déjale dibujar el resto del coche; de lo contrario, dibuja parte del parachoques delantero, luego la puerta trasera, etc., pidiendo al niño que trate de adivinar después de añadir cada elemento.

Si quieres algo más difícil, dibuja una escena con múltiples elementos, como una casa, un árbol y una flor. Eso te permitirá dibujar líneas más dispares (parte de la puerta, parte del tronco de un árbol, luego el tallo de la flor, etc.). También en este caso, pide al niño que trate de adivinar lo que representa la escena cada vez que se añade una línea. Déjale terminar de dibujar cada parte de la escena a medida que la identifique. El niño también puede inventarse una historia sobre cada dibujo una vez acabado. Anota sus palabras para formar una pequeña antología de los dibujos en los que tú has colaborado. ¡Nunca ha sido tan fácil editar un libro ilustrado!

TRABAJOS MANUALES

Recortes de papel

- Papel usado
- Tijeras sin punta

- Papel de aluminio usado o de envolver
- Cinta adhesiva
- Cuerda
- Una percha

Si dispones de un montón de papel usado, tienes en tus manos la posibilidad de entretener a tus hijos sin parar. Sólo necesitas unas tijeras para empezar a practicar el arte de recortar papel. A continuación presentamos algunas técnicas:

La actividad más sencilla consiste en doblar un trozo de papel en cuartos o en octavos. Con las tijeras, recorta pequeños triángulos, o haz unas muescas, a lo largo de los pliegues (los niños sólo deben utilizar tijeras sin punta). Desdobla el papel y tendrás una hoja con intrincados dibujos. Tu hijo puede decorar el papel alrededor de los dibujos, o bien tú puedes colocar el papel recortado sobre un trozo de papel de color o de aluminio para crear una vistosa obra de arte.

Otra posibilidad es dibujar el contorno de un tazón o de un plato, recortarlo, luego doblarlo y cortar triángulos y otras formas a lo largo de los dobleces. Luego pueden emplearse los mismos métodos de decoración descritos anteriormente.

Cuelga los papeles acabados entre las obras de arte de la familia, o pégalos en una ventana. También se pueden atar con una cuerda y colgarlos de un palo o tubo para formar un juguete móvil para la sala de estar o el dormitorio del niño.

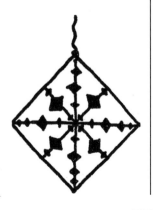

Seres inauditos

Con una serie de tarjetas de cartulina de unos 8 x 12 cm y unos cuantos lápices de colores o rotuladores, tu hijo puede crear innumerables criaturas disparatadas.

Para empezar, lo único que hay que hacer es colocar tres tarjetas en sentido horizontal, una debajo de otra, en una mesa. Luego di a tu hijo que dibuje una cabeza en la tarjeta superior, el cuerpo correspondiente en la tarjeta central, y las patas en la tarjeta inferior. Ya tienes un modelo; a partir de aquí, tu hijo puede crear docenas de cabezas, cuerpos y patas que luego habrán de combinarse de forma extraña y divertida. Después de dibujar diez o doce criaturas, di al niño que pare y haga algunas mezclas. ¿Una cabeza de robot con un cuerpo peludo y patas palmeadas? Cosas más extrañas le esperan a tu hijo; cada nuevo miembro que se añada al montón aumentará las posibilidades de crear seres extraños.

Lo único a tener en cuenta es lo siguiente: las cabezas deben colocarse aproximadamente en la misma posición en todas las cartas, y lo mismo sucede con las demás partes del cuerpo. Tal vez prefieras ayudar al niño con las primeras tarjetas que haga después del modelo; en poco tiempo, tu hijo captará la idea.

SE NECESITA:
- Tarjetas de cartulina
- Lápices de colores o rotuladores

104

Serpentinas

SE NECESITA:

- Lápices sin punta, palillos chinos, cucharas de madera
- Rollos de papel crepé
- Cinta adhesiva

Tanto si planeas celebrar una fiesta de cumpleaños, como si tus hijos simplemente quieren pasar un rato de ambiente festivo, no lo dudes más: necesitas serpentinas. Son muy fáciles de hacer.

Simplemente pega dos tiras de papel crepé de distintos colores, de algo más de un metro de longitud, a unos palillos de comida china, a unos lápices sin punta o a una cuchara de madera. Enrolla las serpentinas, y luego enseña a tus hijos cómo agitar los brazos para desenroscarlas y crear un asombroso espectáculo de color.

Una variación: pide a tus hijos que agiten dos serpentinas, una con cada mano. Para que el efecto sea más vistoso, asegúrate de que las serpentinas contienen papeles de distintos colores.

Anima a tus hijos a cambiar constantemente el papel crepé y probar con distintas combinaciones de colores. Para que sea más divertido, propón que sigan el ritmo de una música de fondo.

Una fotografía inmortaliza un momento determinado con una imagen fija, pero el antiguo método de la silueta hará algo que la mayor parte de las cámaras no pueden hacer: captar el perfil de tu hijo a tamaño real.

Pega una hoja de papel grande sobre una pared con cinta de carrocero; luego pide a tu hijo que se siente, de lado, cerca del papel. Quita la pantalla a una lámpara de casa, y colócala de modo que la luz proyecte la sombra del niño sobre el papel. Cuanto más lejos esté la luz de la pared, menos se distorsionará la imagen; por tanto, aleja la lámpara tanto como sea posible. Cuanto más lejos se sitúe el niño de la pared, más grande será la sombra proyectada. Ajusta la iluminación hasta que el tamaño de la sombra sea el adecuado.

Dibuja el contorno de la sombra con un lápiz, luego retira el papel y recorta la imagen. Escribe la fecha y la edad del niño en el reverso. Tu hijo puede decorar su imagen, y después... una silueta de cada miembro de la familia. Una vez decoradas todas las imágenes, cuélgalas en la estantería destinada a exhibir obras de la familia.

SE NECESITA:
- Una lámpara
- Una hoja de papel
- Lápiz
- Ceras duras

Sombreros de papel

SE NECESITA:
• Una hoja de periódico

Los sombreros de papel son divertidos y fáciles de hacer. Además resultan muy baratos, y su materia prima abunda en cualquier casa. Estos sombreros pueden utilizarse en muchas de las actividades de este libro que requieren disfraces.

Para fabricar un sombrero grande de adulto, coge una hoja de periódico, dóblala por la línea de pliegue, y luego dobla las esquinas en dirección a la línea central, como muestra la ilustración (a). Dobla hacia arriba un borde de unos 3 cm en ambos lados de la base. Marca bien los dobleces y abre el sombrero. Ya estás listo para menear el esqueleto.

Para hacer un sombrero de niño, abre un sombrero de adulto como si fueses a ponértelo. Aplástalo, uniendo la parte delantera con la trasera, formando un cuadrado (véase ilustración b). Separa los dos extremos inferiores, y dobla cada uno de ellos hacia arriba. Marca bien el pliegue y abre el sombrero; fíjalo con un trozo de cinta adhesiva si es necesario.

Si quieres hacer un casco de bombero, dobla sólo uno de los extremos inferiores hacia arriba. Abre el gorro y póntelo con la parte larga hacia atrás. ¡Eso sí que es un casco!

LÍNEA DE PLIEGUE

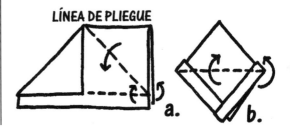

a.

b.

No hace falta ser un sastre o una modista profesional para realizar esta actividad. De hecho, tus hijos pueden practicarla sin tan siquiera coger una aguja.

En una cartulina, dibuja un animal, una casa, un coche, o cualquier cosa que interese a tu hijo. En los ángulos del dibujo perfora un orificio. Por ejemplo, allí donde el tejado de una casa se encuentra con las paredes, se perforaría un orificio.

SE NECESITA:

- Cartulina
- Hilo o cordón
- Un punzón

Proporciona a tu hijo un trozo de hilo que sea algo más fino que los orificios. Rodea ambos extremos del hilo con cinta adhesiva para formar una «aguja» que se parezca a un cordón de zapatos. El objetivo es introducir el hilo por los orificios para marcar el contorno que tú has dibujado con bolígrafo o papel. Los niños pequeños necesitarán algo de ayuda para aprender a pasar el hilo a través del orifico y sacarlo después. Los mayores quizá disfruten empleando hilos de distintos colores para realzar ciertas partes del dibujo. Una vez llenos todos los orificios, ata un nudo al hilo en la parte trasera del dibujo. Luego cuelga las tarjetas en la habitación del niño o allí donde la familia acostumbre a exhibir sus obras.

Televisión estrafalaria

Aquí te sugerimos una manera de vengarte fácilmente de las cadenas de televisión de una vez por todas.

Consigue una caja de un electrodoméstico grande, y recorta un orificio cuadrado y una puerta lo bastante grande como para que puedas pasar tú por ella. Cada miembro de la familia puede presentar un espectáculo en horario preferente para todos los demás. Estas son algunas sugerencias para los más pequeños: conciertos con instrumentos musicales (como los descritos en las actividades 70, Maracas de arroz, y 88, Pandereta con chapas), teatro con muñecos, o bien programas sobre la naturaleza en los cuales los niños hablen sobre el estilo de vida y los hábitos de sus peluches favoritos. Se puede utilizar papel de colores y fotos de revistas para crear decorados de fondo.

Las «estrellas de la tele» un poco más mayores pueden entrevistarte a ti o a un hermano (ayúdales a escribir los guiones y a plantear preguntas interesantes. Esta puede ser una buena oportunidad para tratar asuntos delicados). Los niños mayores también pueden jugar a ser presentadores de televisión (utiliza un tubo de rollo de papel higiénico como micrófono), o retransmitir noticias acerca de su colegio, la familia o el cosmos.

En cualquier caso, procura que participe toda la familia: se trata de la auténtica televisión de los niños.

TRABAJOS MANUALES

Traje espacial

Esta actividad sirve para divertirse cualquier día, para fiestas de disfraces y, por supuesto, para carnaval o Halloween.

Primero hay que fabricar un casco espacial con una bolsa de papel. Pega con pegamento o cinta adhesiva pajitas de beber para simular cables, tubos u otros artilugios importantes que pueda llevar un traje espacial. Otra alternativa es dibujarlos con lápices de colores o rotuladores.

SE NECESITA:

- Bolsa
- Lápices de colores o rotuladores
- Pajitas
- Cinta adhesiva
- Una caja de cereales

El traje puede consistir en un pijama o ropa interior larga. Antes del lanzamiento al espacio, construye un tanque de oxígeno con una caja de cereales. Fabrica unas correas de sujeción para los hombros con hilo o cuerda (vigila a los niños pequeños). Para hacer un tubo de respiración, pega con cinta adhesiva varios tubos de papel de cocina (haz unos cortes en los extremos para unirlos mejor), luego realiza unos cortes transversales, cada 3 o 4 cm, hasta casi atravesar el tubo (como si fuesen rebanadas de pan). Pega un extremo del tubo en el tanque de oxígeno, y el otro en el casco.

¡Comienza la cuenta atrás! Pero asegúrate de que tu astronauta regresa de Alfa Centauri a tiempo para el postre.

Un disfraz de robot

A todo el mundo le agrada un simpático robot. Fabrica un disfraz de robot rápida y fácilmente con materiales que se pueden encontrar en cualquier cocina.

Comenzando por la parte superior, haz la cabeza con una bolsa de papel. Para ello recorta unos orificios a modo de ojos, nariz y boca. Si deseas un aspecto más mecánico, coge dos tapas pequeñas de plástico y recorta la base. Pega los anillos redondos resultantes alrededor de los orificios de los ojos. También puedes recortar la base de unos vasos de papel pequeños, y luego pegar los vasos a la cara del robot (por supuesto, siempre puedes simplemente pedir a tu hijo que dibuje los rasgos faciales con lápices de colores y rotuladores).

A continuación, recorta orificios para los brazos y el cuello en otra bolsa de papel. Pega tubos de cartón del papel higiénico, pajitas de beber, tapas de envases de plástico y otros objetos que sirvan para dar un aspecto mecánico al robot. Forra una caja de cereales con papel resistente, dibuja en ella algunos indicadores, y pégala en el torso de la bolsa de papel; éste será el panel de control.

Termina el disfraz con mangas y pantalones de papel; ya está todo listo para que tu hijo dé vida al robot.

Esta actividad consiste en crear una escena de la jungla con animales que se mueven.

Coge un trozo grande de papel rígido y dobla los extremos hacia delante, de modo que pueda sostenerse de pie. Elige un «ecosistema» y di a tu hijo que dibuje las plantas, el suelo y el cielo; todos los detalles excepto los animales. Luego dibuja o pega imágenes de animales en un papel del mismo tipo, y recórtalos.

SE NECESITA:
• Láminas de papel duro de unos 60 cm x 30 cm
• Dibujos o fotografías de animales

A continuación recorta lengüetas de papel de unos 10 cm de largo y 2,5 de ancho. Pégalas a la parte trasera de los animales. Pregunta al niño en qué lugar del ecosistema desea situar al animal, y luego recorta una ranura debajo.

Si el animal sólo se va a mover un poco, haz una ranura corta; si deseas darle más movimiento, hazla más larga (véase la ilustración).

Coloca el escenario en el extremo de una mesa para que las lengüetas cuelguen hacia abajo. Tu hijo puede contar una historia y mover los animales como desee. Pero no dejes que tu hijo lo haga todo; cambia de puesto con él para que tú puedas contar también un cuento de animales.

TRABAJOS MANUALES

Un mantel sólo para mí

¿Está tu hijo cansado de ver siempre el mismo mantel individual en cada comida? Si es así, prueba esta actividad.

SE NECESITA:

- Cartón resistente
- Cinta adhesiva de doble cara o pegamento no tóxico
- Lápices de colores o rotuladores
- Plástico adhesivo transparente
- Tijeras sin punta
- Imágenes de revistas

Primero, corta un trozo de cartón resistente del tamaño deseado para el mantel individual. Si no es del color que desea, pega una lámina de papel blanco encima con cinta adhesiva de doble cara o un poco de pegamento no tóxico. Luego pide al niño que decore el papel con lápices de colores o rotuladores, o bien con imágenes de revistas. Con hojas o flores secas *(actividad 291: Prensar hojas, y 50: Flores prensadas)* también pueden hacerse bonitas decoraciones, pero asegúrate de que estén bien secas.

Una vez completa la obra de arte, cúbrela con plástico adhesivo transparente (tarea de adultos). El borde superior e inferior del plástico deben sobresalir del cartón 2 o 3 cm para sellar bien el mantel. Recorta las esquinas tanto como sea necesario antes de doblarlas, de modo que queden bien pegadas. Para niños que tienen tendencia a derramar la comida, tal vez convenga cubrir también la base del mantel para que la protección sea completa.

Lo único que queda por hacer ahora es sentarse a la mesa y comer.

Un móvil sonoro

Si tienes un porche, una terraza o un árbol, está de suerte: en unos minutos podrás disfrutar de un móvil musical.

Coge un tubo de cartón y perfora cuatro orificios a una distancia de unos 8 cm cada uno. En el lado contrario, perfora dos orificios. Luego coge cuatro latas vacías con la base intacta (asegúrate de que los bordes no pinchan). Coloca las latas boca abajo y perfora un orificio en la base de cada una (hazlo tú). Con ayuda de tu hijo, pasa un trozo de cuerda de 35 cm de longitud a través de cada orificio, y ata un nudo en el extremo para evitar que se salga. Pasa el otro extremo de la cuerda a través del primer orifico del tubo de cartón, sacando la cuerda por la abertura del final del tubo. Ata un nudo para evitar que la cuerda se salga. Repite esta operación con las otras tres latas.

Una vez sujetas las latas, inserta un trozo de cuerda (de unos 30 cm) a través de los dos orificios que hiciste en el tubo, y ata los extremos juntos. Ata otro trozo de cuerda en el centro. Ya tienes un móvil que sonará con el viento. Deja que tu hijo te ayude a colgarlo de un árbol o de una viga del porche. Cada vez que el artilugio suene, los dos os acordaréis de la forma tan original en que habéis fabricado vuestro móvil musical.

PRECAUCIÓN

Vigilar atentamenre

SE NECESITA:
- Tubo de papel de cocina
- Cuerda
- Latas limpias

TRABAJOS MANUALES

114

Un planetario en casa

 PRECAUCIÓN

Vigilar atentamenre

SE NECESITA:

- Una linterna
- Una lata de refresco grande
- Papel
- Cinta adhesiva o goma elástica
- Tijeras o cúter (sólo para uso de adultos)

Hoy en día, un buen proyector-planetario cuesta mucho dinero, pero tú puedes organizar un espectáculo de luces muy educativo con sólo una linterna y algunos objetos corrientes de la casa.

Para hacer un planetario casero, dibuja una constelación o un grupo de estrellas cualquiera en un cuadrado de papel de unos 15 cm de lado (una visita a la biblioteca o a la librería puede ser útil si se desea representar una constelación concreta). El siguiente paso es sólo para adultos: recorta la forma de las estrellas en el cuadrado con unas tijeras o un cúter, o bien dobla el papel donde deseas situar cada orificio y recorta con unas tijeras. Luego, quita los dos extremos de una lata de refresco y tapa un extremo con el papel (puedes pegar el papel en el extremo con cinta adhesiva o sujetarlo con una goma elástica). A continuación, introduce la linterna encendida por el extremo abierto y apunta hacia el techo de una habitación a oscuras. Orienta la linterna oblicuamente, hacia un lado de la lata y no directamente a través del papel, para evitar las distorsiones. Pide a tus niños que sujeten la linterna y que hagan girar las estrellas por el techo. Es divertido, y piensa lo que podrás hacer con todo el dinero que te has ahorrado en el proyector.

 TRABAJOS MANUALES

Un salpicadero de coche

Sacar a nuestro hijo del asiento del conductor de nuestro coche resultó ser uno de los mayores desafíos al que tuvimos que enfrentarnos como padres. La vida se hizo más fácil cuando le dimos su propio salpicadero. Tú también puedes fabricar un salpicadero de coche. Busca una caja de cartón duro, de al menos medio metro de ancha. Luego, añade los distintos indicadores, montones de ellos (ahora se verá recompensado el esfuerzo de ir guardando todas esas tapas de plástico y otros cachivaches que mencionamos en la introducción). Perfora un orificio en una tapa de yogur pequeña, y sujétala en la caja de cartón con un encuadernador (un artilugio de metal que se vende en cualquier papelería). Ya tienes un indicador giratorio. Pinta marcas en el indicador y en la caja para hacer un marcador de velocidad. Sujeta un plato de papel de la misma forma: ya tienes un volante.

Un tubo de papel absorbente servirá de palanca de cambios, y una cuantas tapas de botellas serán unos botones excelentes. Cuantos más marcadores y botones giratorios, más interesante será el salpicadero. No te olvides de hacer una ranura para la llave.

Al principio, nosotros utilizábamos el salpicadero de juguete sólo en el coche, pero luego nos dimos cuenta de que también puede servir para otro tipo de viajes. Tu hijo puede utilizar el salpicadero para explorar las profundidades del mar, o incluso para viajar fuera de los confines de nuestra galaxia.

SE NECESITA:
- Una caja de cartón
- Tapas de envases de plástico
- Tapas de botellas
- Encuadernadores
- Lápices de colores y rotuladores
- Tubos de cartón

TRABAJOS MANUALES

Una camiseta muy personal

SE NECESITA:

• Camiseta
• Rotuladores no tóxicos para tela
• Papel
• Bolsa de papel

Todos sabemos que no se debe dibujar en la ropa ¿o no? A veces es mejor romper una regla... con la supervisión adecuada, claro está. Por el precio de una camiseta blanca nueva y una caja de rotuladores inalterables no tóxicos, podrás ayudar a tu hijo a crear una prenda personal que pondrá de manifiesto sus dotes artísticas y su talento en el diseño de modas.

Los niños llevarán las camisetas diseñadas en casa con gran orgullo.

Despeja un espacio en una mesa o sobre el suelo, y cúbrelo con hojas de periódico. Ésta será la zona de trabajo. Introduce un trozo de papel continuo dentro de la camiseta para que los colores no traspasen al otro lado. Estira bien la camiseta, sujétala con cinta de carrocero, y comienza la tarea.

Entre los posibles motivos a dibujar sugerimos los siguientes:

- Mi familia
- El sol
- Animales preferidos
- Hermanos o hermanas
- Nuestra casa
- Autorretrato
- Mi mascota

¡Mucho cuidado, Calvin Klein!

Una cara «para comérsela»

Probablemente no te des cuenta de la cantidad de anuncios de alimentos que lees en las revistas. Pues bien, presta atención y comienza a recortar dibujos y fotografías de frutas, verduras, huevos y otros alimentos. Lo más fácil es buscar algunas revistas con recetas de cocina o, mejor aún, los folletos publicitarios de supermercados que nos dejan en el buzón.

SE NECESITA:
- Revistas, folletos publicitarios
- Papel
- Rotuladores

Una vez reunida una buena cantidad de imágenes, pide a tus hijos que formen una cara con alimentos (un plátano para la boca, tomates para los ojos, uvas para el pelo, etc.) Utiliza pegamento en barra o cinta adhesiva para pegar las imágenes en un papel. Otra posibilidad es hacer un panel de actividades *(véase actividad 89: Panel de actividades)* de modo que los niños puedan utilizar las imágenes muchas veces.

NOTA: *para dibujar los contornos de las caras, tus hijos, o tú, podéis utilizar platos, cacerolas, sartenes u otros objetos cotidianos.*

También se pueden emplear otros temas además de la comida, como coches y máquinas. Recorta una carretera para la boca, faros para los ojos, ruedas para las orejas, etc. Una vez que empieces a pensar en los anuncios como fuente de inspiración para ese juego, te darás cuenta de que desarrollas un «reflejo automático» para recortar.

Una casa fácil de construir

Si tu hijo es lo bastante mayor como para utilizar unas tijeras sin punta, podrá pasárselo en grande construyendo una casa a prueba de bomba con cartas.

No es necesario utilizar cartas de verdad: unas tarjetas de cartulina o fichas de 8 x 12 cm funcionarán mejor. Lo único que hay que hacer es cortar unas muescas en cada cartulina, tal y como muestra la ilustración. Ahora las tarjetas se ajustarán perfectamente formando estructuras e incluso aguantarán una leve brisa.

Ayuda a tu hijo a diseñar estructuras sencillas al principio, antes de pasar a desafíos mayores; en poco tiempo, se preguntará por qué la gente se empeña en construir esos inestables castillos de naipes hechos con técnicas pasadas de moda.

¿Puede tu hijo construir...

una torre?
una salida de la autopista?
un avión?
una maqueta de tu casa?
un robot?
un castillo?

(Véase también, 314. Una casa de naipes.)

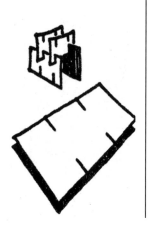

TRABAJOS MANUALES

Una grúa muy original

119

Algunas deliciosas frutas vienen envasadas en pequeños cestillos de plástico que van a parar a la basura. Aquí proponemos un nuevo uso para estos recipientes: convertirlos en juguetes. Estos cestillos pueden servir para guardar animales y dinosaurios y, si los unimos con precintos de pan de molde y un trozo de cuerda, forman fantásticos trenes.

Otra posibilidad es construir una estupenda grúa. Coloca el cestillo boca arriba. Une los cuatro lados con sendos trozos de cuerda, cruzándolos en el centro y dejando unos 5 cm de holgura. Luego ata una cuerda de aproximadamente 1,25 m de longitud en el punto donde se cruzan los trozos de cuerda *(véase ilustración)*. Cuelga la cuerda del respaldo de una silla y... ya tienes una grúa lista para elevar juguetes, coches, muñecos, piezas de construcción y otras muchas cosas hasta el asiento de la silla.

Estos cestillos también sirven para jugar con ellos en los areneros de interior; son ideales para cribar macarrones y arroz. En exterior, también se usan para tamizar arena. Organiza una expedición de búsqueda de rocas y limpia tu arena al mismo tiempo.

PRECAUCIÓN

Piezas pequeñas

SE NECESITA:
- Un cestillo de plástico
- Cuerda
- Cierres de pan de molde

120

Una guitarra de cartón

PRECAUCIÓN

Piezas pequeñas

SE NECESITA:

• Una caja de zapatos
• Tijeras (para uso de adultos)
• Gomas elásticas

Con esta guitarra, tu hijo podrá aprender los fundamentos básicos de la física del sonido. Aunque no sirve para tocar melodías, produce un sonido muy gracioso, menos molesto que, por ejemplo, una batería formada por cacerolas y ollas.

Tu tarea consistirá en recortar el círculo en la tapa de la caja de zapatos (actividad propia de adultos) y elegir las gomas elásticas. Se necesitan entre 4 y 6 gomas de distintos tamaños. Utiliza las más gruesas para que no se rompan fácilmente (no permitas que los niños muy pequeños jueguen con gomas elásticas).

Antes de recortar el orificio para el sonido, aplasta la tapa pisando ligeramente su parte central. La idea es evitar que «las cuerdas» toquen la tapa por ningún otro punto que no sea los extremos. Después recorta un círculo en la tapa de unos 8 cm de diámetro, tal y como muestra el dibujo. Vuelve a colocar la tapa en la caja y, con cuidado, coloca entre 4 y 6 gomas de distintos tamaños alrededor de la caja, sobre el agujero. Tu hijo ya puede salir a escena y cautivar al público.

TRABAJOS MANUALES

Una hucha de cerdito

Mira una botella de plástico, ancha y corta, tumbada. ¿Qué animal te sugiere? ¿Qué te parece un cerdo... o una hucha de cerdito?

Para hacer una hucha de cerdito, coge una botella de plástico vacía y corta una ranura en su parte superior, lo bastante grande como para que quepan por ella monedas de 2 euros (cortar es tarea de adultos). Luego, necesitarás algo para las patas. Tu hijo puede pegar envases de película fotográfica de 35 mm, viales de medicina, o tacos de madera.

Vayamos con la cara. Pide a tu hijo que dibuje los ojos con rotuladores, o que los dibuje en un papel y los pegue. Lo mismo se hará con la boca. La parte superior de la botella hará las veces de hocico; sólo hay que añadir los orificios nasales al tapón (mantén el tapón fuera del alcance de los pequeños; tal vez prefieras pegar un trozo de cuerda al tapón y atar el otro extremo al asa de la botella). Un trozo de cinta pegado a la base del bidón será una cola estupenda, como también lo será un limpiapipas o un cierre de pan de molde.

El cerdito-hucha ya está listo para la acción. Proporciona a tu hijo algunas monedas como comienzo (no en el caso de niños pequeños) y... ya puede empezar a ahorrar para comprarse un piso.

Esta actividad no está indicada para niños menores de cuatro años.

PRECAUCIÓN

Piezas pequeñas

SE NECESITA:
• Una botella de plástico ancha y corta
• 4 envases de plástico de película fotográfica, viales de medicina o tacos de madera
• Rotuladores
• Un trozo de cinta, un limpiapipas o un cierre de pan de molde

TRABAJOS MANUALES

Una radio enorme

• Una caja de cartón grande
• Lápices de colores
  y rotuladores

• Tela
• Tapas de plástico
  pequeñas

¿Recuerdas aquellas inmensas radios antiguas del tamaño de un mueble? Intenta hacer una con una caja grande. Las de electrodomésticos son ideales; a veces pueden conseguirse cajas de los aparatos que tienen en exposición en las tiendas de electrodomésticos.

Con lápices de colores o rotuladores dibuja una rejilla de altavoz, o bien pega un trozo de tela en la parte delantera de la caja. Coloca los «diales» de control y sintonización; tu hijo puede dibujar los botones con lápices o rotuladores, o bien pegar tapas de envases de plástico forradas de papel de colores o de papel de aluminio. Por último, recorta una puerta en la parte trasera para que tu hijo entre, y dos ventanas laterales para que entre la luz.

Ahora sintoniza algo alegre en la radio. Tu hijo puede cantar, recitar poemas, leer historias, presentar noticias familiares o del colegio, o bien hablar del estado de la casa, del mundo, de la economía o del significado del cosmos.

Sugiere a tu hijo que haga de presentador de un programa de entrevistas en directo. Elige un tema, como el tiempo o los dinosaurios, y luego acribilla a preguntas al experto de la caja. «¿Y cómo consiguió ese enorme gorila subirse a lo más alto del Empire State?»

¿A qué suena?

Este juego consiste en imitar varios sonidos, y en pedir luego al niño que los identifique. Comienza diciendo la categoría a la cual pertenece el objeto: cosas de la casa (despertador, radio), cosas que se mueven (coche de bomberos, coche de policía, avión), o animales (gato, perro, tigre). Luego cambia los papeles y deja que tu hijo imite los sonidos.

SE NECESITA:
Sólo tiempo

Una variante del juego consiste en emitir un sonido imaginario de un animal absurdo. Por ejemplo, un medio-gallo/medio-vaca haría algo así como «Kíkirimuuu». Puedes sugerir los animales a combinar, o bien simplemente emitir el sonido y pedir al niño que trate de identificar a la extraña criatura.

También pueden jugar grupos de niños. Reproduce un sonido: quien adivine de qué animal se trata emitirá el sonido siguiente, hasta que otro niño lo identifique.

Kíkirimuuu

124

Árbol genealógico

SE NECESITA:

- Un papel grande
- Lápices de colores
  o rotuladores

OPCIONAL:

- Fotos de familiares

Llegará un momento en que los niños disfrutarán averiguando cosas sobre las intrincadas relaciones que unen a la familia. También les fascina saber cómo encajan ellos en el esquema familiar.

Da a tu hijo una hoja de papel grande y lápices de colores o rotuladores. Indícale dónde debe dibujar casillas para los distintos miembros de la famila, comenzando en la parte superior con la generación viva de más edad. Tal vez prefieras utilizar colores distintos para tu parte de la familia que para la parte de tu pareja. Deletrea los nombres a los niños que están aprendiendo a escribir, pero en el caso de los niños mayores, deja que sean ellos mismos quienes escriban los nombres.

Para que el árbol sea más completo, pega fotografías de varias personas junto a sus nombres. Si le queda bastante sitio en el papel, podría escribir una breve historia de cada miembro de la familia; anima a tu hijo a componer todas las historias que pueda.

Esta actividad ofrece la oportunidad de explicar conceptos complicados como el de los abuelos, primos, tías, tíos, y tíos segundos.

CREATIVIDAD Y FANTASÍA

Cabezas de nudillos

125

Tu hijo tiene dos buenos amigos en sus manos: ¡las cabezas de nudillos!

Las cabezas de nudillos son tímidas, pero se dejan ver cuando se cierra el puño, y se vuelve la mano hacia un lado. Extiende el dedo pulgar sobre el índice como muestra la ilustración. ¿Ves el espacio que queda entre el puño y el pulgar? Eso es en realidad una boca. Si ahora mueves el pulgar hacia arriba y hacia abajo, la boca se abre y se cierra.

Enséñaselo a tu hijo; para que el efecto sea mayor, pinta ojos, nariz, labios, un bigote, cejas y otros rasgos con rotuladores no tóxicos o pinturas para la cara (de venta en tiendas de juguetes).

¿Qué puede hacer una cabeza de nudillo? Montones de cosas. Sólo hay que proporcionarle un escenario (como la parte superior de una mesa) y estar dispuesto a cantar, decir discursos, leer artículos, contar chistes etc.

Dos o más cabezas de nudillos pueden representar personajes de una obra de teatro (improvisada o previamente escrita) puesta en escena por un niño mayor: una cabeza podría hacer de padre, por ejemplo, y el resto de hijos. Las posibilidades son infinitas.

SE NECESITA:

• Rotuladores no tóxicos y lavables, o pinturas para la cara

Celebraciones infantiles

¿Quién dice que sólo las autoridades gubernamentales pueden declarar nuevos días festivos? Tu hijo es perfectamente capaz de decidir qué días se debe celebrar algún acontecimiento, u honrar a alguna persona o animal. A continuación presentamos algunas de las festividades que se celebran en nuestra casa.

- Día Verde y Azul (16 de abril)
- Día Azul y Verde –totalmente distinto – (2 de mayo)
- Día de la Goma Elástica (19 de junio)
- Semana de la Limonada (2-8 de julio)
- Semana de Lego (19-25 de agosto)
- Mes de la Amabilidad con la Almohada (las luchas con almohadas sólo se permiten a determinadas horas; octubre)
- Mes de las Burbujas (al menos una burbuja monstruosa al día: actividad 198; junio).

Deja que el niño confeccione la lista, y luego anota las festividades en un calendario. A propósito, ¿has decidido qué te vas a poner el próximo Día del hongo venenoso?

Cualquier otro nombre

127

¿Cuántos nombres femeninos que empiecen por la letra T puedes decir? Éste es el tipo de reto al que te enfrentarás cuando practiques este juego para dos.

SE NECESITA:

• Sólo tiempo

En primer lugar, decide si deseas utilizar nombres masculinos o femeninos; luego comienza por la letra A. Designa a uno de los jugadores para que lleve la cuenta; dile que escriba las letras del alfabeto y haz una marca con cada nombre pronunciado. El primer jugador podría decir «Andrea», el segundo «Ana», el primero «Ángela», etc.

El juego continúa hasta que uno de los jugadores se queda sin respuesta. Se puede fijar un tiempo límite de treinta segundos si se desea. Cuando se dice el último nombre de una letra, se cuentan las marcas. Guarda la hoja de las marcas para la siguiente vez que juegues; así podrás elogiar todos los nuevos récords que se establezcan y tendrás un objetivo que cumplir con cada letra.

Parece fácil, pero te sorprenderás de lo complicado que puede llegar a ser dar con los nombres uno detrás de otro. Además, aparte de Xantipa, ¿qué otros nombres conoces que empiecen por X?

128

Detectives en casa

En la actividad 138 (Escóndelo), se ayuda al niño a encontrar cosas diciendo «frío» o «caliente». Ahora proporciona pistas a tu hijo sobre objetos comunes ocultos en tu casa. Adapta las pistas en función de la capacidad del niño.

Una variante de este juego consiste en competir contra el reloj. Utiliza un avisador de cocina para aumentar la emoción. Si participan varios niños, asegúrate de que comprenden que están compitiendo contra el reloj, y no contra los demás niños.

Cuando se trata de niños mayores, prueba a escribir pistas en trozos de papel o fichas de cartulina («Estoy en algo cuadrado». «Estoy cerca de una botella pequeña». «Estoy dentro de la cosa más grande del salón»). Cada tarjeta debe contener una sola pista; el objetivo es comprobar cuántas pistas necesita el niño para encontrar el objeto.

No desaproveches la oportunidad de llamar la atención de tu hijo sobre objetos que tienen tras de sí una historia personal, como reliquias de la familia o antigüedades, o cosas que son importantes en la historia de la familia.

CREATIVIDAD Y FANTASÍA

Diario de los sentidos

129

Esta actividad funciona igual de bien con niños de todas las edades; la única diferencia es que tal vez tú tengas que ayudar a escribir a los más pequeños.

Pide a tu hijo que permanezca sentado y en silencio un momento, y que observe todo lo que le rodea. Luego pregúntale lo siguiente: ¿qué ves? Las respuestas (una mesa, un cuadro, una estantería, etc.) se anotan en un papel. «Veo un perro en el jardín; veo un coche aparcado junto a la acera, un coche azul con una matrícula blanca». Luego pasa a formular preguntas sobre otros sentidos: «¿qué oyes?», «¿qué hueles?», etc.

Los resultados suelen ser sorprendentes, incluso poéticos. Nosotros hemos comprobado que los niños más pequeños son los que componen las imágenes más bonitas en los diarios de los sentidos, de modo que no dudes en actuar como escribano para los chiquitines.

No estaría de más pedir a tu hijo que ilustre sus anotaciones para luego colocar el cuaderno en la estantería de obras maestras.

SE NECESITA:
- Lápiz
- Papel o cuaderno

OPCIONAL:
- Lápices de colores o rotuladores

CREATIVIDAD Y FANTASÍA

130

El ambidiestro (o dos manos mejor que una)

SE NECESITA:
• Bolígrafo o lapicero
• Papel

Cuando decimos que alguien es «ambidiestro» estamos utilizando dos palabras procedentes del latín que indican que la persona tiene «dos manos derechas». Para ser justos, podrían haber pensado en otra palabra: los zurdos más bien tendrían que decir que tienen dos manos izquierdas.

En esta actividad, indica a tu hijo que dibuje o escriba con la mano con que menos habilidad tenga. Es un ejercicio estupendo, y demuestra de qué manera el cerebro trabaja con una especie de «piloto automático» la mayor parte del tiempo. Utilizando la mano menos hábil, tu hijo tendrá que pensar cada movimiento que hace mientras dibuja o escribe y, al cabo de pocos minutos, esto puede resultar muy cansado.

¿Eres valiente? Prueba a realizar esta actividad tú mismo, y demuestra a tu hijo la habilidad artística que tiene tu mano menos favorecida, o cómo comer cereales del desayuno con dicha mano.

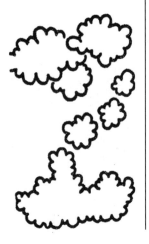

CREATIVIDAD Y FANTASÍA

El buzón de correos

Si a tus hijos les encanta recibir y enviar cartas, esta actividad podría convertirse en una de sus favoritas.

Busca una caja grande de cartón la cual, al colocarse verticalmente, sea casi tan alta como tu hijo. Corta una solapa en la parte superior y ábrela hacia ti a modo de puerta. Haz un picaporte con cartón, y pégalo en la puerta con cinta adhesiva. Recorta otra puerta en la parte inferior de la caja; está servirá para recoger el correo.

Proporciona a tu hijo montones de sobres reciclados de propaganda o de facturas. También podrá utilizarse material de escritorio de casa o de la oficina. Si algún sobre de propaganda tiene etiquetas engomadas, úsalas como sellos.

Pide a tus hijos que escriban las cartas; pueden incluir cartas y dibujos, fotografías recortadas de revistas o cualquier cosa que deseen. Si se trata de un grupo, los niños pueden hacer turnos para recoger el correo del buzón, introducirlo en la saca de correos y repartirlo por la casa. Los niños mayores tal vez deseen leer sus cartas en voz alta.

Lo mejor de este juego es que tú puedes estar tranquilo: el servicio de correos del salón funciona sin desmayo con lluvia, viento o nieve, y sin incrementos de tarifa.

SE NECESITA:
- Una caja de cartón (y herramientas para que los adultos la corten)
- Sobres de propaganda
- Papel y sobres que no sirvan
- Lápices de colores y rotuladores
- Revistas

132

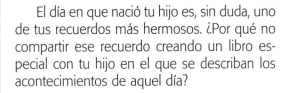

El día que yo nací

SE NECESITA:

• Un cuaderno
• Algo para escribir

El día en que nació tu hijo es, sin duda, uno de tus recuerdos más hermosos. ¿Por qué no compartir ese recuerdo creando un libro especial con tu hijo en el que se describan los acontecimientos de aquel día?

Todo lo que se necesita es un cuaderno y algo para escribir. Tú aportarás el argumento básico, por supuesto, y ayudarás a tu hijo a escribir si es necesario. Sin embargo, la organización de las ilustraciones y fotografías debe dejarse en manos del protagonista.

Lo bonito de esta actividad es que se transmite la historia de uno de los momentos más importantes de tu familia. También se consigue que el niño se haga cargo del cuidado de un valioso libro hecho a mano.

¡Guárdalo bien! El valor de este libro aumentará con el paso de los años.

(Véase también actividad 270. ¿Qué más sucedió ese día?)

CREATIVIDAD Y FANTASÍA

El juego de los nombres

A muchos niños les encanta inventarse nombres graciosos. Sin duda, esta actividad va a provocar grandes carcajadas.

Comienza por un nombre, el tuyo, por ejemplo. Di tu nombre de pila y luego piensa en la primera letra de tu apellido. Cada jugador debe sustituir el apellido por un animal o un objeto corriente que empiece por esa letra. De ese modo, «Javier Ruiz» podría convertirse en «Javier rata» o en «Javier robot». Luego pasa a la segunda letra del apellido, y continúa hasta acabar con todas las letras del mismo.

Si la cosa va despacio, anima a tus hijos a que busquen recursos. Hasta los más pequeños son capaces de usar libros con fotografías para inspirarse, suponiendo que sepan leer y escribir (los libros con temas clasificados por orden alfabético son ideales). Los niños mayores deberían tratar de usar diccionarios escolares.

Una variante de esta actividad consiste en que cada jugador repita toda la lista de nombres, como «Javier robot uva insecto zapato». Los niños mayores tal vez sean incluso capaces de formar una frase en lugar de una lista de palabras. ¿Qué le parece «Javier se rompió la uña izquierda con la zambomba?»

SE NECESITA:

• Sólo tiempo

Javier Robot

CREATIVIDAD Y FANTASÍA

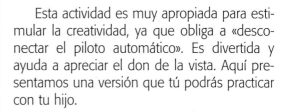

El lazarillo

PRECAUCIÓN

Vigilar atentamenre

SE NECESITA:

• Un trapo o pañuelo para vendar los ojos
• Cosas de la casa

Esta actividad es muy apropiada para estimular la creatividad, ya que obliga a «desconectar el piloto automático». Es divertida y ayuda a apreciar el don de la vista. Aquí presentamos una versión que tú podrás practicar con tu hijo.

Funciona del siguiente modo: tú te vendas los ojos y tu hijo «ve» por los dos. Mantente alejado de los escalones y practica esta actividad en una zona segura.

Tu hijo te guía por la casa, te aconseja sobre el modo de comer y beber (no te da la comida directamente, sino que te dice como llevarte la cuchara a la boca), te ayuda a sentarte, a jugar al pilla pilla, etc.

Esta actividad puede resultar muy divertida, ya que tu hijo tendrá que describir acciones que normalmente se hacen sin pensar, como por ejemplo utilizar un utensilio. Seguro que se va a reír a carcajadas cuando te sientes a la mesa con una mancha de mantequilla en la punta de la nariz.

¿Por qué llevar a la familia a los Alpes a montar en teleférico cuando se puede fabricar uno en el salón de casa?

Para hacer la cabina que colgará del cable, coge un trozo de paja de 5 cm y pégalo (con pegamento o cinta adhesiva) a un tubo de cartón de los del papel higiénico, de modo que la paja quede paralela al tubo. Después pide a tu hijo que decore el tubo con lápices de colores o rotuladores, dibujando ventanas y caras de personas.

Introduce un tramo de cuerda (unos 2,5 m) en el interior de la paja, ata los extremos de la cuerda a los respaldos de dos sillas. Un extremo debe estar más alto que el otro, y la cuerda debe estar tensa. Coloca un peso dentro del tubo (un juguete pequeño servirá). Desplaza el tubo hasta el punto más elevado, y luego deja que se deslice hacia abajo.

Los niños más pequeños lo pasarán en grande viendo cómo se mueve la cabina desde lo alto. Tal vez les apetezca transportar animales, coches, etc. desde la estación superior a la inferior. En el caso de niños mayores, se podrían colocar dos «cables» y organizar una carrera de cabinas.

PRECAUCIÓN

Vigilar atentamenre

SE NECESITA:
- Tubo de un rollo de papel higiénico
- Una paja
- Cuerda
- Un juguete pequeño
- Dos sillas

El zoo
del alfabeto

No es necesario ir al zoo para ver a los animales; se puede crear un zoo en la sala de estar.

SE NECESITA:
• Cartulina
• Lápices de colores
  o rotuladores
• Tijeras sin punta

Recorta pequeños cuadrados de cartulina y haz que tu hijo escriba una letra del alfabeto en cada una de ellas. Luego baraja el montón de letras e indica al niño que elija una. A continuación el niño deberá decir nombres de animales que comiencen por la letra elegida. Escribe los animales en una hoja de papel y luego pide al niño que elija otra letra, hasta finalizar el alfabeto (se puede omitir la «X»).

Variación: Elige una letra e indica a tu hijo que dibuje (o busque) imágenes de animales cuyo nombre comience por la letra en cuestión. Puedes dejarle revistas, libros, enciclopedias, diccionarios, etc.

Haz los cuadrados de cartulina suficientemente grandes y pega en ellos las fotografías y dibujos recortados convirtiéndolos en tarjetas. Si se le acaban los animales, tal vez quiera hojear un libro o dos de la biblioteca para añadir bichos raros a la lista como el aye-aye (un extraño primate que vive en Madagascar), el cuscús (un pariente del canguro), o la lavandera (un ave de América del Norte).

Oso hormiguero

Encuesta familiar

Convierte a tu hijo en reportero: proporciónale una tablilla, un papel, un lápiz y... deja paso.

Estás a punto de descubrir lo que piensan *realmente* los miembros de la familia sobre asuntos tan importantes como sus colores favoritos, sus mascotas preferidas, los helados que más les gustan, los planes de vacaciones y a qué hora les gustaría irse a la cama. Ahora conocerás el poder de la «Encuesta familiar».

SE NECESITA:
• Una tablilla con sujetapapeles
• Papel
• Lápiz

Los límites de esta actividad los pondrá sólo la imaginación de tu hijo. Después de explicarle lo que es una encuesta (en el caso de niños mayores puedes incluir un poco de matemáticas), lo único que tendrás que hacer es responder con franqueza, remitir al reportero a otros posibles participantes en la encuesta, y sentarte a esperar los resultados.

Tal vez descubras que el 100% de tus hijos opinan que deberían irse a la cama más tarde. Pero puedes estar tranquilo: los resultados no son lo bastante científicos como para considerarse concluyentes.

Frambuesa

Escóndelo

Esta sencilla actividad puede practicarse en cualquier sitio, en cualquier momento y con cualquier accesorio de que se disponga.

Pide a tu hijo que reúna unos cuantos animales de juguete pequeños, coches, muñecas o cualquier objeto similar (mantén lejos de los niños de corta edad cualquier objeto que se puedan tragar). Cualquier cosa que sea pequeña y que no suponga un peligro es válida. Indica a tu hijo que espere en otra habitación (o que cierre los ojos). Luego esconde los objetos por la habitación, e invita al niño a encontrarlos. Adapta el nivel de dificultad a la edad y capacidad de tu hijo. Recuerda que la mayor parte de los niños buscarán las cosas a la altura de sus ojos o más abajo, de modo que puedes aumentar la dificultar escondiendo objetos un poco más arriba. Proporciona pistas o ayuda en términos de «frío» o «caliente». Una vez que el niño haya encontrado los objetos, cambia los papeles.

Cuando te toque a ti buscar, aprovecha la oportunidad para enseñar al niño cómo debe dar pistas. Pero no te sorprendas si tu hijo te dice exactamente el paradero de un objeto que tú estás buscando: algunos secretos son demasiado buenos como para no contarlos.

¿Tiene tu hijo algo que decir al presidente? Puede ser algo halagador, crítico, burlón, lo que sea... lo importante de esta actividad es que tu hijo participe como un ciudadano más (aunque no vote) en nuestro gobierno democrático. Además, no está nada mal que le respondan a uno de la Moncloa.

Facilita las cosas a la Moncloa: anima a tu hijo a plantear una pregunta o a hacer un comentario, y luego dile que firme (las cartas largas tienen menos posibilidades de ser leídas y contestadas). Si es necesario, actúa de secretario transcribiendo la carta de tu hijo, pero asegúrate de que él la firma personalmente.

Lo divertido de escribir (y la emoción de esperar una respuesta) bien vale la pena un sello. Inténtalo, y deja que tu hijo manifieste sus opiniones. Ésta es la dirección:

Ministerio de la Presidencia
Complejo de la Moncloa – Edificio INIA, Avda. Puerta de Hierro, s/n
28071, Madrid

SE NECESITA:
- Papel
- Bolígrafo o lápiz
- Sobre
- Sello

140

Estrujarse el cerebro (primera parte)

SE NECESITA:

• Sólo tiempo

¿Qué tal se le da a tu hijo resolver problemas? Estos comecocos están pensados para entretener, pero además tú podrás hacerte una idea del modo en que razona tu hijo.

En primer lugar, prueba con algunos problemas en los que el niño deberá idear una forma de escape. Pídele que se imagine que está encerrado en una habitación y desea salir a jugar. El pomo de la puerta está a su alcance, pero la llave se encuentra colgada de un gancho demasiado alto para llegar a él. ¿Cómo puede conseguir la llave y salir? Probablemente escuchará respuestas del estilo a «me subiría a una silla» o «llamaría a papá o a mamá».

Ahora aumenta la dificultad. Di a tu hijo que en la habitación no hay nada, excepto una regla larga, un poco de cuerda y clips de sujetar papeles. ¿Cómo pueden utilizarse estos objetos para alcanzar la llave? (Una posible respuesta sería: fabricar una caña de pescar con un clip a modo de anzuelo y tirar de la llave hasta sacarla del gancho.)

Intenta inventarte algunos ejercicios mentales. Procura que sean fáciles e intenta estar abierto a admitir muchas repuestas correctas. El objetivo del juego es plantear un reto a tu hijo, no prepararle para un acceso prematuro en la universidad.

CREATIVIDAD Y FANTASÍA

A continuación presentamos un par de ejercicios mentales orientados a niños mayores; requieren algo de pensamiento y razonamiento abstractos.

En primer lugar, pide a tu hijo que se imagine que una pelota de ping-pong ha caído en una tubería corta que tiene la base sellada y enterrada en el suelo. La tubería es demasiado estrecha como para meter la mano dentro. Cerca hay una caja de cereales, algunos imanes pequeños, un tubo de cartón, un peine, y una botella de zumo de manzana. ¿De qué modo se pueden utilizar todos estos objetos para recuperar la pelota de ping-pong? (Respuesta: verter el zumo en el tubo para que la pelota salga flotando. El resto de los objetos sólo sirven para despistar).

Si tu hijo quiere enfrentarse a un auténtico desafío, prueba con lo siguiente. Tu familia viaja en una caravana y se encuentra con un túnel bajo. Tú detienes la caravana y descubres que el túnel probablemente tiene apenas uno o dos centímetros de menos para poder atravesarlo. Como no se puede rodear el túnel, ¿qué podría hacerse para atravesarlo? (Respuesta: dejar salir un poco de aire de los neumáticos).

Invéntate algunos ejercicios mentales. La única norma es no sugerir nada que tú mismo no seas capaz de resolver.

142

Grabar una carta

SE NECESITA:
• Una grabadora
• Material de correos

Los familiares que viven lejos suelen estar ansiosos por recibir noticias de los niños de la familia. La forma más tradicional de resolver este problema suele ser hacer que el niño escriba una carta, que generalmente suele ser poco original: «Queridos abuelos: ¿Cómo estáis? Yo estoy bien. Besos. Sara».

Esta actividad conseguirá que la correspondencia resulte más divertida para el niño y el familiar. Siéntate con una grabadora, y di a tu hijo que haga lo siguiente:

Leer un cuento que le guste. Los que aún no saben leer pueden imitar una lectura. Tú puedes aportar la música de fondo canturreando, si quieres.

Describir su dormitorio. Que hable sobre los trabajos que ha hecho para el colegio, sus nuevos dibujos, o los regalos del familiar al que se dirige.

Hablar sobre la próxima fiesta. Si se trata de una reunión familiar con esa persona, tanto mejor.

Cantar una canción. Tú podrías aportar la percusión de fondo con una cuchara de madera y un envase de cartón.

Tu hijo puede ayudarte a enviar el casete. ¡Prepárate para una buena respuesta!

Historia en cadena

Esta actividad puede practicarse en cualquier momento en que se busque algo para entretener a los niños, pero que sea tranquilo. La llamamos «Historia en cadena», porque cada persona (basta con dos) contribuye con un eslabón a inventar un cuento. Tú puedes empezar diciendo: «Érase una vez...» (si quieres un efecto más dramático prueba con algo como «Era una noche oscura de tormenta...»). A continuación tu hijo continúa otra parte de la historia, y luego le toca a ti de nuevo.

Los niños pequeños pueden tener cierta dificultad en asimilar el concepto al principio, por lo que quizá tú tengas que aportar varias partes de la historia. Otra posibilidad es adaptar el argumento de un libro que le guste al niño, en cuyo caso sólo habrá que contar esa historia de nuevo.

A los niños mayores tal vez les divierta terminar frases incompletas, como «Una oscura y tormentosa noche, un coche verde con...» Cuando se trata de grupos de niños, éstos pueden colocarse en círculo, y llevar cada uno la historia por los derroteros que prefiera.

¿Quién dice que la literatura no puede escribirse en comité?

SE NECESITA:
• Sólo tiempo

CREATIVIDAD Y FANTASÍA

Historias al azar

SE NECESITA:

- Fotos de revistas, propaganda y catálogos
- Tarjetas o fichas de cartulina
- Pegamento

OPCIONAL:

- Grabadora

Saca todo ese montón de revistas, catálogos y propaganda que has estado guardado para un día de lluvia. O bien, si has ido recortando fotografías tal y como hemos sugerido en alguna otra parte de este libro, abre tus archivos... todos ellos. Esta actividad necesita fotos muy variadas.

Pega cada foto en un trozo de cartulina o en una tarjeta (no te preocupes si las fotografías son de distintos tamaños). Luego forma un montón con ellas. Comenzando por la fotografía superior, pide a tu hijo que empiece a contar una historia. Si no se le ocurre nada, sugiérele algo, como por ejemplo: «ésta es la casa de Sergio, que se ha quedado dormido y va a llegar tarde al colegio...» Luego pasa a la siguiente fotografía, y continúa la historia. Tal vez tengas que dar otro impulso a la narración. Supongamos que la siguiente fotografía muestra una nave espacial. Tú podrías continuar de la siguiente manera: «Sergio se ha dormido porque estaba soñando con una nave espacial que le llevaba a Marte...».

Como ves, el objetivo es crear una historia al azar, pero sin trabas. Según sean las imágenes, irá fluyendo la historia. Una vez acabada ésta, baraja las tarjetas y comienza de nuevo. Escribe o graba las narraciones; tal vez estés sentado frente al futuro *best-seller* del siglo.

Inventa un animal

145

Definitivamente, esta actividad pondrá a prueba la imaginación de tu hijo.

Plantea a tu hijo distintas dificultades relacionadas con animales, y comprueba de qué manera las soluciona. Por ejemplo: «Imagínate un animal que... vive en tierra, pero le gusta sumergirse en el agua, no puede contener la respiración, y debe respirar. ¿Cómo sería ese animal?». Algunas posibles respuestas son las siguientes: sería un animal con orificios nasales en la parte superior de la cabeza, o con una nariz en forma de trompa con la que podría respirar, o con un tubo de respiración en el lomo.

¿Y cómo sería un animal con las siguientes características?: puede volar y correr a gran velocidad, pero sus alas le estorban para correr, y sus largas patas le molestan para volar. Posibles respuestas: sería un animal que tendría unas alas con patas en los extremos, o patas que se convertirían en alas.

Pide a tu hijo que ponga nombre a algunas de estas extrañas criaturas y que las dibuje si le apetece. Anótalo todo en un cuaderno titulado «Zoo de seres extraños», e incluye los dibujos de tu hijo.

SE NECESITA:
- Papel
- Lápices de colores o rotuladores
- Cuaderno

CREATIVIDAD Y FANTASÍA

146

Juegos de cartas improvisados

Una baraja de naipes puede proporcionar a tu hijo horas de entretenimiento (no hace falta enseñarle a jugar al póquer o al black-jack).

Muestra a tu hijo todos los maravillosos dibujos de personas y símbolos que contiene una baraja de cartas. Luego proponle que se invente un juego siguiendo alguna de las siguientes ideas: buscar todas las cartas del mismo color; agrupar aquellas cartas que tengan dibujos o las que contengan números; comparar dos cartas y adivinar cuál de ellas vale más, etc.

Sin embargo, tal vez el juego más entretenido para ti sea ése que conocemos todos en el que el niño se inventa reglas complicadas que parecen cambiar en cada nueva ronda. Al menos hace que estemos alerta.

¡Mucho cuidado! Tu hijo podría hacerte una mala jugada cogiendo cartas de dos palos distintos procedentes de tu último descarte, o apoderándose de todas las cartas negras y cantando «Bingo».

Jessamine County Public
Library
(859) 885-3523

Checked Out Items 7/21/2014 19:11
XXX6493

Item Title	Due Date
32530605778560	8/11/2014
Dragon sword	
32530607409289	8/11/2014
Diario de Greg : la ley de Rodrick	
32530607460209	8/11/2014
The split history of the Civil War	
32530606240875	8/11/2014
365 actividades sin-TV para tu nino	

Amount Outstanding: $0.40

Jessamine County Public Library
(859) 885-3523

Checked Out Items 7/21/2014 19:11
XXX6493

Item Title	Due Date
33306057785S0	8/11/2014
Dragon sword	
33306074093289	8/11/2014
Diario de Greg : la ley de Ródrick	
33306074603209	8/11/2014
The split history of the Civil War	
33306082408TS	8/11/2014
365 actividades sin-TV para tu nino	

Amount Outstanding: $0.40

www.jesspublib.org
facebook.com/jessaminecountypubliclibrar
Get the skills you need at
http://wlig.net/icpljobs

Jugar a las oficinas

147

Si tu pareja o tú trabajáis en una oficina, esta actividad le gustará a vuestro hijo. Se trata de crear una oficina a su medida.

Lo primero que se necesita es un escritorio. Si tienes una mesa de tamaño de niños, coloca un par de cajas de zapatos al fondo: harán de cajones. Si no dispones de una mesa, servirá una caja de cartón resistente. Algunas cartas inservibles, que tú habrás ido guardando previamente, harán las veces de correspondencia importante para tu joven ejecutivo; colócalas en los cajones.

Reúne lápices de colores, rotuladores, papel usado, un viejo talonario, cinta adhesiva, una calculadora, una agenda y cualquier otra cosa que tu ejecutivo en ciernes pueda utilizar sin peligro.

¿Deseas equipar la oficina con alta tecnología? Fabrica un ordenador con una caja de cartón. Dibuja una pantalla con lápices de colores o rotuladores, recorta una ranura en la base (para los discos). Para el teclado, busca un trozo de cartón de unos 60 cm de largo y 20 de ancho; dibuja las teclas. ¿Algo más? Un teléfono, claro. Ahora pasa a hablar de negocios. Quizá incluso asistas a una comida de trabajo.

SE NECESITA:
- Una mesa pequeña o una caja de cartón
- Cartas que no sirvan
- Lápices de colores, rotuladores
- Un teléfono de juguete
- Cajas de zapatos
- Accesorios de oficina

CREATIVIDAD Y FANTASÍA

148

La biblioteca divertida

- Libros
- Tarjetas o fichas de cartulina
- Un archivador o una caja
- Sobres o papel

- Sellos de estampar

A los ratones de biblioteca les encantará esta actividad. En primer lugar, pide a tu hijo que reúna sus libros favoritos. Coge sobres pequeños (de los que aparecen en el buzón con publicidad), o fabrícalos con papel formando un bolsillo. Pega un sobre con cinta adhesiva o pegamento dentro de la contraportada de cada libro. Luego escribe el título de cada libro en una tarjeta o ficha de cartulina, e introdúcela en el sobre. Coloca los libros en una estantería o en el sofá.

En este momento, tu hijo bibliotecario está listo para abrir las puertas de su biblioteca familiar. Después de hojear los libros, los usuarios pueden presentar sus tarjetas de socios de la biblioteca (hechas con tarjetas de crédito caducadas o trozos de cartulina) y firmar la ficha de control; el bibliotecario sella el sobre con un sello de estampar o garabatea la fecha de entrega, y luego coloca la ficha de control en su archivo (cualquier caja pequeña servirá).

Los niños mayores pueden divertirse desarrollando un sistema más sofisticado de catalogación de fichas y de control de libros. También pueden manejar un buen fichero. No te olvides de entregar los libros a tiempo: ¡las multas pueden ser prohibitivas!

La clínica veterinaria

Si tú eres como la mayoría de los adultos, probablemente pensarás que los animales de peluche no requieren un mantenimiento especial; sin embargo, cualquier niño de 4 años es capaz de darte una lección sobre los cuidados que necesitan los ositos de peluche y otros compañeros suyos.

SE NECESITA:
- Animales de peluche
- Palos de polos helados
- Linterna
- Tela, tiras de velcro

Monta una clínica veterinaria en la sala de estar o en el cuarto de jugar cubriendo una mesita baja con una toalla. Esta será la camilla de reconocimiento. Incluso si tu hijo tiene ya instrumental médico de juguete, siempre se puede improvisar: utiliza palos de polos helados para bajar la lengua, una linterna para examinar los oídos y la garganta. Puedes fabricar un termómetro dibujando la escala de temperatura en otro palo de polo. Por otro lado, tal vez desees donar la báscula del baño a la clínica para que la usen todo lo que necesiten. Por último, se pueden hacer vendas y tiritas con trozos de tela inservible y tiras de velcro.

Los niños se inventarán sus propios instrumentos y métodos; nuestro hijo insiste en que a su osito de peluche hay que medirle la presión sanguínea de las orejas con un utensilio que sirve para rociar el pavo con salsa. ¿Para qué vamos a discutir? Que sepamos, el oso aún no se ha quejado de dolor de oídos.

CREATIVIDAD Y FANTASÍA

150

La consulta del doctor

• Una báscula
• Cinta métrica o regla larga
• Una vieja camiseta blanca
• Tiritas

Esta actividad hace que acudir a la consulta del médico sea divertido, ya que será tu hijo quien lleve la bata blanca. Tú, como paciente, tendrás la oportunidad de demostrar que dejarte curar puede ser divertido e indoloro.

En primer lugar tendrás que equipar la consulta con algunos instrumentos básicos, como una báscula, una regla larga o cinta métrica, y una linterna para examinar los oídos y la boca. También puede fabricarse un estetoscopio con cartulina (haz las piezas que van en los oídos lo suficientemente grandes como para que no puedan meterse en ningún sitio peligroso). Para la bata, consigue una vieja camiseta blanca, y dibuja con un rotulador la abertura por delante, las solapas, y un bolsillo. Por último, consigue unas cuantas tiritas para darle un toque de autenticidad.

Como paciente, pide hora de visita para una revisión médica en la que tengan que pesarte y medirte. Luego deja que *el doctor* te cure algunos trastornos, enfermedades o heridas, como por ejemplo rasguños en las rodillas, varicela, o sangre en la nariz. Presta atención al diagnóstico y a la prescripción facultativa, y no te olvides de comentar lo estupenda que ha sido la consulta, y lo bien que te encuentras después de haber visto al médico.

Tal vez te sorprendan los poderes de observación de tu hijo; las últimas veces que el nuestro nos pesó, nos dijo que teníamos que perder 250 litros cada uno.

La gaceta de la familia

¡Extra! ¡Extra! Lea todo lo referente al primer diente del osito de peluche... los resultados del último torneo de bolos con tubos de rollos de papel higiénico... o el primer avistamiento de hormigas en el jardín de casa este año.

Éstas son sólo algunas de las cosas sobre las que podrían informar tus hijos en el periódico de la familla. Si se trata de un boletín sencillo, puedes utilizar la parte trasera de hojas usadas y escribir a mano las historias tal y como las cuentan los niños más pequeños (pégalas en la puerta del frigorífico para facilitar su difusión). En el caso de niños algo mayores, ayúdales a escribir sus propias noticias; si deseas más realismo, utiliza una máquina de escribir u ordenador para crear columnas de texto.

A los niños grandes les gustará hacer de reporteros y escribir sus propios artículos. Explícales los cinco puntos básicos de todo reportaje (quién, qué, cuándo, dónde, y por qué). Luego envíales por la casa o el jardín a hacer reportajes sobre asuntos tales como la campaña de reciclaje de la familia, o bien a averiguar las opiniones de algunos miembros de la familia sobre asuntos candentes (como sus comidas, juguetes o países favoritos).

Recuerda que, en *La gaceta de la familia*, la vida misma es noticia, y la noticia siempre es apta para imprimir.

SE NECESITA:
- Papel
- Lápices, lápices de colores o rotuladores

OPCIONAL:
- Máquina de escribir u ordenador
- Fotografías de la familia
- Pegamento

152

La regla del día

SE NECESITA:

• Tiempo

¿Puede tu hijo pasar un día entro sin decir la palabra «sí»? ¿Y sin sentarse en el sofá? ¿Y sin decir ninguna palabra que empiece por la letra p?

Quién sabe; es divertido probar. A continuación proponemos una serie de reglas tontas. Comprueba si tu hijo es capaz de cumplirlas desde el amanecer hasta el anochecer.

- *Entrar siempre en la cocina dando tres saltos a la pata coja.*
- *Dirigirse a los hermanos por su nombre y apellidos.*
- *Abrir todas las puertas con la mano izquierda.*
- *Decir el alfabeto antes de sentarse en algún sitio.*
- *Chasquear los dedos cada vez que se menciona su nombre.*
- *Caminar con un libro en la cabeza durante cinco minutos al menos seis veces.*
- *Contar hacia atrás desde 10 cada vez que se pasa por delante de un espejo.*
- *Saltar 10 veces, abriendo y cerrando las piernas en el aire, cada vez que suene el teléfono.*
- *No decir «yo» o «mí» (muy difícil)*

Al final de tan arduas tareas, tal vez quieras incluir una regla más: todos los participantes pueden comer algo rico hecho en casa.

CREATIVIDAD Y FANTASÍA

Desde los más remotos tiempos se ha pensado que la mente posee un gran poder y que algunas personas son capaces de leer el pensamiento de los demás o bien que pueden comunicar mentalmente su pensamiento a otras personas. Con este juego vamos a tratar de comprobar si nosotros somos una de estas personas.

SE NECESITA:
• Papel y lápiz

Dibujad tu hijo y tú 5 formas distintas, o dibujos sencillos, en cinco trozos de papel. Después poned boca abajo los dibujos. Uno de vosotros elige uno (puede levantar los dibujos para elegir mejor). Después se concentra en él y trata de enviarle mentalmente el dibujo al otro. El receptor del mensaje mental dice o dibuja lo que piensa que el otro jugador le transmite. Cuando uno haya intentado varias veces su poder de transmisión, puede cambiar con el otro y hacer el papel de receptor de mensajes.

154

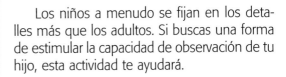

Los objetos
más grandes
y más pequeños

 PRECAUCIÓN

Piezas pequeñas

SE NECESITA:

• Papel y lápiz

Los niños a menudo se fijan en los detalles más que los adultos. Si buscas una forma de estimular la capacidad de observación de tu hijo, esta actividad te ayudará.

Enseña a tu hijo a buscar los objetos más pequeños y más grandes de la casa, según diversas categorías. Los libros, por ejemplo: pide a tu hijo que registre la casa en busca de los libros más grandes y más pequeños, informando de dónde están y cómo son. Prueba a hacer lo mismo con cacharros y sartenes de la cocina, o con las plantas de la casa, por nombrar sólo un par de posibilidades.

Si hay varios niños pueden dividirse en dos equipos: los especialistas en objetos grandes y los especialistas en objetos pequeños. Luego los equipos pueden cambiar de tarea y, cuando se cansen, todos pueden comparar sus anotaciones.

Haz un recuento de los hallazgos de todos... y si en tu casa se adquieren nuevos objetos, repite la actividad para comprobar si tu hijo todavía tiene vista de águila.

Lucha de pulgares

¿Te acuerdas de este juego? Sigue siendo una actividad que les encanta practicar a los niños y les mantiene entretenidos un día de lluvia o durante un viaje largo.

SE NECESITA:
• Tiempo

Dos jugadores se agarran de las manos como muestra el dibujo; se tocan con los dedos pulgares tres veces y comienza la lucha. El objetivo es, por supuesto, derribar el pulgar de la otra persona con el pulgar propio.

Los hermanos pequeños están en desventaja en este juego; por ello, tal vez se quieran igualar las oportunidades estableciendo la norma de que los mayores, durante los diez primeros segundos, sólo pueden realizar maniobras defensivas, y no de ataque. Por supuesto, si eres tú quien juega con tu hijo, tendrás que ponerte también un tiempo límite similar.

¡Pulgares fuera!

CREATIVIDAD Y FANTASÍA

Mamá y papá en su trabajo

En algunas culturas, los niños saben exactamente lo que hacen sus padres durante el día, porque pueden verlo. Sin embargo, en nuestro mundo moderno y tecnológico, el trabajo es un misterio: mamá y papá desaparecen por la mañana y regresan por la noche. Este juego de representación teatral puede ayudar a los niños a comprender lo que hacen sus padres durante todo el día... y tal vez, además, te haga reír a ti.

Pide a tus hijos que representen un día típico de trabajo de mamá o de papá. Proponles que se pongan alguna prenda característica: un sombrero, sus zapatos, una corbata, un pañuelo, una joya... algo que les haga sentirse vestidos para trabajar. ¿Dan tus hijos vueltas por la casa como locos mientras se preparan para marchar? Una vez en el trabajo, pídeles que representen lo que hacen mamá o papá durante el día. Si no saben qué hacer, dales algunas pistas: «yo hablo por teléfono con gente», «llevo comida a personas que tienen hambre», «llevo papel y lápiz y miro máquinas», «me reúno en una habitación con otras personas».

¿Parece una tontería lo que hace tu hijo? ¿Va muy deprisa? ¿Le resulta familiar?

Aunque los niños pequeños tal vez no comprendan los mapas, saben que existen extraños animales en lugares lejanos con paisajes muy distintos a los que conocen. He aquí una manera de ayudar a tu hijo a empezar a pensar en términos de una comunidad global.

Consigue un mapa del mundo en una papelería, o bien dibuja uno en un trozo de cartulina grande. Recorta fotografías de animales de revistas, catálogos, periódicos u otras fuentes, y pégalas en los países donde vive cada animal. Ésta es una buena manera de ayudar a tus hijos a formarse una imagen mental de las sabanas de África, las selvas de América del Sur y la tundra de Alaska.

Esta actividad también representa una buena oportunidad para enseñar a tu hijo (y a ti mismo) algunas sutiles diferencias entre los animales, como las existentes entre los elefantes de África y los de Asia. Los elefantes africanos son los que tienen las orejas grandes; tanto los machos como las hembras tienen colmillos. Los elefantes asiáticos tienen las orejas pequeñas, y sólo los machos tienen colmillos.

SE NECESITA:
- Mapa del mundo
- Cartulina/Atlas
- Fotos de animales
- Cinta adhesiva

158

Mi marciano favorito

Se han escrito muchas historias de ciencia ficción sobre alienígenas que visitan u observan a escondidas la Tierra y obtienen una impresión errónea. Tu hijo y tú podéis jugar simulando que acabáis de aterrizar procedentes del planeta rojo, y estáis desconcertados por algunas de las cosas que suceden aquí.

En primer lugar, imagina que ves a un hombre paseando a un perro. Pregunta a tu hijo quién pasea a quién. Luego deja que tu imaginación le lleve a un parque, y observa cómo juegan los niños. ¿Quién está a cargo? ¿Están las personas grandes sentadas porque no son lo bastante pequeñas como para jugar? ¿Y qué sucede con los que hacen footing? ¿Quién les está persiguiendo?

Continúa formulando este tipo de preguntas sobre otras experiencias y aspectos de la vida diaria. Luego elabora con tu hijo una lista de preguntas que le ayuden a aclarar este mundo tan confuso: ¿Qué comen los humanos? ¿Qué hacen para divertirse? etc. En ese momento tal vez podríais solicitar la ayuda de un humano, quizá de una esposa, amigo o hermano. O bien, si sólo estáis presentes vosotros dos, uno puede hacer de marciano y el otro de humano. Di la verdad: ¿cuál de los dos papeles es más divertido?

Si no puedes hacer una escapada a la costa, trae la costa a tu casa o jardín. Aquí te decimos cómo.

Coge una palangana grande (o un cubo o bañera de plástico) y llénala de agua hasta una altura de cuatro o cinco centímetros. Di a tu hijo que añada cantos rodados, unas cuantas rocas y conchas marinas (si puedes encontrar alguna) para recrear el fondo del mar. Algunas plantas cortadas, sujetas a las rocas, parecerán auténticas algas marinas.

SE NECESITA:
- Una palangana grande
- Piedrecillas, conchas
- Plantas cortadas
- Esponjas

El mar está ahora listo para los habitantes de las profundidades marinas y para los buscadores de tesoros. Recorta esponjas con forma de peces, ballenas, calamares, etc. También puedes colocar un limpiapipas enroscado en la boca del pez para que tu hijo pueda pescarlo con la caña descrita en la actividad 163 (Pesca magnética). Tal vez desees hacer también un buzo de esponja; utiliza un envase de plástico de película fotográfica de 35 mm a modo de bombona de oxígeno. Por último, añade algunos barcos de juguete hechos en casa.

Vacía el cubo cuando tu hijo acabe de jugar (el niño podría regar el jardín o las plantas de la casa con este agua).

Padres adivinos

Este juego asombrará a tus hijos y te gustará a ti. Se necesitan dos adultos confabulados: un «indicador» y un «adivino».

El adivino sale de la habitación y un niño coge un objeto. Entonces el adivino vuelve a la habitación y el indicador señala varios objetos, uno por uno, preguntando al adivino si es ése el objeto elegido por el niño.

Sin que el niño lo sepa, el adivino y el indicador han acordado previamente que el objeto elegido por el niño será siempre aquél que el indicador señale después de un objeto determinado de la habitación, por ejemplo, el sofá. De ese modo, el adivino siempre sabe que cuando el indicador señala distintos objetos de la habitación, uno por uno, el objeto que señale *después* del sofá será el que ha elegido el niño. En caso de que el niño elija el mismo objeto que el acordado, el indicador y el adivino se comunicarán mediante un código, como parpadear dos veces, y actuarán en consecuencia.

Hazlo un par de veces, y tus hijos pensarán que tú tienes poderes extrasensoriales. Pero no dejes de revelar tu secreto en algún momento para que tu hijo y un compinche asombren a sus amigos.

Pelo verde

Ésta es una actividad con la que tu hijo y tú podréis hacer caras de personas y de animales con pelo que crece. En realidad, se trata de hierba. Haz lo siguiente:

Da a tu hijo unos cuantos vasos de papel o de plástico. Pídele que dibuje en ellos con lápices de colores o rotuladores caras de animales o de personas. También se pueden utilizar trozos de corcho o fieltro que puedan pegarse en las caras para formar los rasgos de la cara, las orejas, barbas, etc. (cualquier cosa menos pelo).

Llena los vasos con tierra fértil y esparce por la parte superior una capa de semillas de césped (de venta en cualquier tienda de plantas). Humedece la tierra y coloca los vasos en un lugar húmedo. Asegúrate de que la tierra no se seque. Al cabo de una o dos semanas, descubrirás que a las caras que pintó tu hijo les han crecido unos finos pelos verdes que con el tiempo se convertirán en una espesa mata que habrá que ir recortando.

Bajo tu atenta mirada, tu hijo puede cambiar de profesión (de jardinero a peluquero), cortando el pelo a su gusto (siempre con unas tijeras de seguridad, claro).

SE NECESITA:
- Vasos de papel o de plástico
- Lápices de colores o rotuladores
- Semilla de césped
- Tierra
- Tijeras sin punta

CREATIVIDAD Y FANTASÍA

Percepción extrasensorial (o el sensor de colores)

Tú puedes enseñar a tu hijo a *sentir los colores* sin verlos (o al menos, eso creerán sus amigos).

Hay que hacer lo siguiente: tu hijo dirá que es capaz de distinguir los colores sin verlos. Para demostrarlo, pedirá que su amigo, o amiga, coja una cera a escondidas y la introduzca en una bolsa de papel. Tu hijo, sin haber visto la pintura, será capaz de identificar su color, porque al tocar la cera, el experto en percepción extrasensorial clava una uña en un extremo, raspa un poquito de color, se concentra mucho, dice unas cuantas palabras mágicas y, *sutilmente,* mira la uña para ver el color.

Los niños pequeños tal vez se sientan tentados de mirarse la uña demasiado abiertamente, en cuyo caso se puede pedir cortésmente a su amigo que cierre los ojos un momento.

Admítelo: ¿verdad que te apetece hacer el truco antes de compartir el secreto con tu hijo?

CREATIVIDAD Y FANTASÍA

Pesca magnética

¿Qué te parecería ir de pesca sin salir del salón de tu casa? Busca una regla larga, un tubo de los que vienen dentro de los rollos de papel de regalo, o cualquier cosa que haga las veces de caña de pescar. Pega con cinta adhesiva un trozo de cuerda de algo más de medio metro en la caña; luego ata un pequeño imán de herradura en el otro extremo. Trata de adornar el imán con hilo o con papel de aluminio usado para hacer cebos atractivos (utiliza sólo cosas grandes que no puedan tragarse).

Luego, haz peces con cartón o papel, o bien recorta imágenes de peces de alguna revista. Coloca un clip grande de metal en la parte delantera de cada pez, luego extiende los peces sobre el suelo y pon a tus hijos a pescar (no dejes los clips en manos de niños pequeños). Los más chiquitines disfrutarán pescando desde un «cojín barco», o incluso desde una caja grande. Los mayores pueden pescar contra reloj, o seguir instrucciones tontas cada vez que capturan un pez (por ejemplo, «muévete como un gusano», «salta y agáchate tres veces», etc.). También se divertirán pescando desde una bolsa de la compra, o con los ojos cerrados. *(Véase también: 93. Pescar con un limpiapipas).*

Para jugar en el jardín o en un patio de la casa: Haz peces con bandejas de corcho blanco, pega los clips, luego coloca todos los peces en un cubo o cazuela grande con agua. ¡No hay nada mejor que lo auténtico!

PRECAUCIÓN

Piezas pequeñas

SE NECESITA:
- Cuerda
- Cinta de carrocero
- Imanes pequeños
- Clips grandes para papel, que no puedan tragarse

OPCIONAL:
- Hilo
- Papel de aluminio usado
- Bandejas de corcho blanco
- Una caja de cartón grande

Pies de fotos

Recorta fotografías interesantes o divertidas de periódicos, y muéstraselas a tus hijos. Su tarea consistirá en escribir nuevos pies de fotos para las imágenes recortadas.

Por supuesto, en el caso de niños que aún no sepan escribir, tendrás que ayudarles, pero el juego también puede ser muy divertido para ellos. Una vez finalizada la actividad, tal vez se desee pegar las imágenes con sus nuevos textos en un cuaderno o álbum.

La hija de unos amigos nuestros sugirió el siguiente pie de foto para una fotografía informal de un senador de los Estados Unidos: «Este hombre trabaja en una tienda de ultramarinos. Hace un trabajo muy importante metiendo nuestra comida en bolsas».

Busca fotos de: animales, personas, coches, edificios, acontecimientos deportivos (las carreras son muy interesantes), celebraciones...

He aquí algo que se puede hacer mientras se prepara la comida, o se hace cualquier otra cosa que impida sentarse a jugar en el suelo de la cocina o del cuarto de jugar en esos momentos (esta actividad también es un salvavidas cuando uno está demasiado cansado para hacer nada excepto hablar).

En primer lugar elige un tema, como por ejemplo los animales. Luego di: «Estoy pensando en un animal que se apoya sobre dos patas, tiene una cola corta...», etc. Anima a tu hijo a hacer preguntas («¿Es grande o pequeño?» «¿Tiene pelo o piel suave?» «¿Le gusta el agua?»). Cuando tú respondas a estas preguntas, guárdate la información necesaria como para que tu hijo siga pidiendo más pistas (pero no tanto como para que se sienta frustrado). Cambia los papeles: pide a tu hijo que sea él quién te dé pistas sobre un animal o un objeto que elija.

Puedes adaptar el juego a los intereses y capacidades de tu hijo. En caso de niños mayores, considera la posibilidad de utilizar sucesos históricos o temas de los que se habla en el colegio. Las posibilidades son infinitas.

166

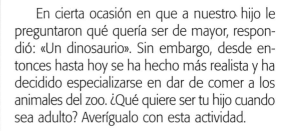

Profesiones

SE NECESITA:

• Lápiz y papel

En cierta ocasión en que a nuestro hijo le preguntaron qué quería ser de mayor, respondió: «Un dinosaurio». Sin embargo, desde entonces hasta hoy se ha hecho más realista y ha decidido especializarse en dar de comer a los animales del zoo. ¿Qué quiere ser tu hijo cuando sea adulto? Averígualo con esta actividad.

Elabora una lista de varias profesiones, escribiéndolas en columna en el lado izquierdo de una hoja de papel (pon sólo profesiones que el niño conozca), y luego léelas en voz alta una por una. Ahora di a tu hijo que represente aquello que tendría que hacer en ese trabajo; ayúdale con sugerencias cuando sea necesario. Puedes fabricar accesorios adecuados con diversos utensilios del hogar: un maletín, una caja para el almuerzo, etc. Al final de la sesión, pregunta a tu hijo cuál de los trabajos le ha parecido más divertido e interesante, y anótalo en la columna derecha de la hoja de papel.

Practica esta actividad cada cinco o seis meses; anota la fecha de las respuestas para comprobar si cambian las inclinaciones del niño. ¿Quién se iba a imaginar que tu hijo neurocirujano empezó deseando ser presentador de circo?

¿Qué pasaría si...?

167

Esta actividad disparará la imaginación de tu hijo; también le hará pensar en su experiencia sobre el mundo. Pide a tu hijo que describa cómo sería la vida...

...Si las personas pudiesen volar: ¿Qué haría el chofer del autobús del colegio: ataría una cuerda a la cintura de cada niño y seguiría conduciendo? ¿Necesitarían escaleras las casas? ¿Habría atascos aéreos a la hora de ir a trabajar?

...Si el mundo se diera la vuelta y caminásemos por el techo: ¿Cómo evitaríamos que se nos cayese la sopa del plato? ¿Y los guisantes? ¿Qué haríamos para no caernos de la cama?

...Si el sol nunca se pusiera: ¿Cómo sabríamos cuándo es hora de irse a la cama? ¿Y de levantarse? ¿Dónde estaría la Luna?

Sigue con ideas como: ¿Qué pasaría si los dinosaurios todavía vagasen por la Tierra?, ¿...Si las personas fuesen mascotas y los perros y los gatos sus propietarios?, ¿...Si lloviesen alimentos de las nubes en lugar de agua y nieve?

Luego pide a tu hijo que sugiera él una idea: ¿Qué pasaría si...?

SE NECESITA:

• Sólo tiempo

CREATIVIDAD Y FANTASÍA

Ropa de mayores

¿Recuerdas cuando te vestías con la ropa de tus padres? ¿No te sentías fuerte y orgulloso llevando la chaqueta o el sombrero de papá, o el bolso y los tacones de mamá?

Anima a tus hijos a hacer lo mismo, y a que hablen sobre la persona a la que representan. Por ejemplo, sugiere que imiten lo que hacen papá y mamá en el trabajo, cómo descansan, cómo se tratan mutuamente, o cómo tratan a sus hijos y a sus amigos, el modo en que se comportan en la casa, etc.

Luego cambia de papel: ponte los sombreros de tu hijo y actúa como si fueses él en distintas situaciones: contento y triste, serio y divertido, etc.

Además del aspecto lúdico, este tipo de juego de representación es una forma estupenda de abordar temas delicados. Aprenderás cosas sobre ti mismo de las que no eres consciente en tu papel de padre.

Ropa de adultos, ropa de niños... Pensándolo bien, ¿no es sólo cuestión de cambiar de sombrero?

CREATIVIDAD Y FANTASÍA

Durante siglos, las personas se han transmitidos historias, mitos y sabiduría popular de unas generaciones a otras. Esta actividad será una divertida manera de que tu hijo se imagine la vida de otras sociedades.

Primero, pide a tu hijo que se imagine que es un miembro de una tribu de cazadores y recolectores. No hay teléfono, ni televisión, ni electricidad, ni coches, ni agua corriente. ¿Cómo se calentaría la gente? ¿Qué tareas tendrían que llevar a cabo los distintos miembros de la tribu? ¿De dónde vendría el agua? ¿Qué alimentos comerían las personas? ¿Cómo los cocinarían? ¿Dónde vivirían... y cómo podrían construir una casa con palos, barro o nieve? ¿Qué animales vivirían cerca? ¿Cómo vivirían en armonía con ellos? ¿Cómo se defendería el grupo? ¿Cómo enviarían y recibirían mensajes importantes?

Ahora pide al niño que se invente una historia que ilustre la respuesta de una de las preguntas que acabamos de plantear (después de todo, sin libros, las historias son el principal medio de transmisión de las lecciones culturales importantes). Si la historia trata, por ejemplo, de la importancia de mantener ardiendo el carbón de cocinar, pide al niño que cuente qué pasó en cierta ocasión en la que una gran ráfaga de viento apagó el fuego.

CREATIVIDAD Y FANTASÍA

Safari dentro de casa

- Papel
- Tubos del papel higiénico

¿Es eso una lámpara de pie, o se trata de una jirafa con la pantalla de una lámpara en la cabeza? Sólo hay una forma de averiguarlo: pide a tu hijo que haga de guía de un safari.

Tu hijo puede dirigir un safari en el salón (o en cualquier otra habitación de la casa); únicamente se necesita un poco de tiempo de preparación. En primer lugar, coge papel y recorta varios tipos de huellas: dibuja algunas pisadas con garras y almohadillas para los leones y los tigres; pezuñas para las gacelas, cebras y antílopes; pisadas con pulgares para los gorilas y los monos; y unas grandes pisadas redondas para los elefantes y los hipopótamos.

Luego, fabrica un par de binoculares para cada miembro del safari uniendo y pegando dos tubos de cartón del papel higiénico (tal vez prefieras forrarlos con papel negro antes).

Dispón un rastro de huellas que conduzcan a distintas partes de la casa. Quizá los hipopótamos y los elefantes se hayan dirigido al cuarto de baño para beber. Los monos podrían estar escondidos en las plantas colgantes. Y la familia de tigres tal vez esté holgazaneando en su guarida hecha con cojines.

Asegúrate de que todos mantengan la calma mientras buscan a los animales; si hay demasiado ruido las fieras podrían escaparse hacia las colinas.

Salir de las cajas

El pensamiento creativo es el que nos permite salir por un momento de esas pequeñas cajas que utilizamos para organizar el mundo. Aquí presentamos una actividad con la que tu hijo podrá dejar vagar su imaginación sin los límites marcados por los convencionalismos sociales. También es un juego tipo salvavidas, de los que pueden practicarse en cualquier momento y en cualquier habitación de la casa, con niños (o adultos) de todas las edades.

SE NECESITA:
• Sólo tiempo

Señala un objeto de la habitación y pregunta para qué sirve. En la cocina, por ejemplo, señala una espátula. Después de que tu hijo explique su uso convencional, pregúntale para qué otra cosa podría servir. Dependiendo de la edad del niño, tal vez la respuesta sea algo parecido a «para cavar un hoyo»; «para sacar arena»; «para cortar bloques de nieve o esculpir un muñeco de nieve»; «como una raqueta»; «para reflejar el sol y pedir socorro cuando uno ha naufragado en una isla desierta».

Prueba con otros utensilios de cocina (cucharas, tenedores, batidoras, platos, etc). Todas las habitaciones de la casa tienen sus posibilidades.

A propósito, ¿alguna vez se te ha ocurrido utilizar tu colchón para proteger tu nave espacial de los meteoritos que puedan dañarla?

CREATIVIDAD Y FANTASÍA

Saludo secreto

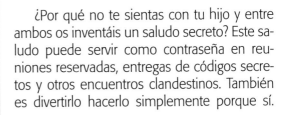

¿Por qué no te sientas con tu hijo y entre ambos os inventáis un saludo secreto? Este saludo puede servir como contraseña en reuniones reservadas, entregas de códigos secretos y otros encuentros clandestinos. También es divertirlo hacerlo simplemente porque sí.

A continuación presentamos un saludo que se basa en el que utilizamos en nuestra familia. Razones de seguridad nos impiden revelar del todo el saludo auténtico.

Sacudida doble: Saludo estándar realizado dos veces, bruscamente.

Cruce de índices: Mientras aún están apretadas las manos, ambos estiran el dedo índice diagonalmente.

Triple chasquido: Cada persona chasquea los dedos tres veces (o hace tres intentos convincentes si todavía no domina esta técnica).

Aplaudir: Cada persona aplaude una vez.

Golpear los antebrazos: Juntar los antebrazos ligeramente.

Una sola sacudida: Saludo estándar, realizado una vez.

¡Chas!

Sigue las flechas

173

Ésta es una actividad que puede servir para esconder una gran sorpresa. El único truco es que hay que prepararlo todo cuando el niño se vaya a dormir por la noche; de ese modo, estará lista cuando se levante por la mañana.

SE NECESITA:
- Papel
- Rotuladores
- Cinta adhesiva
- «Un tesoro»

¿Qué será exactamente lo que descubra tu hijo? Flechas; montones de flechas. Coloca por toda la casa trozos de papel con grandes flechas dibujadas; tu hijo seguirá las flechas, comenzando por la primera, hasta llegar a la última, donde habrás colocado un desayuno especial, entradas para algún espectáculo familiar o un regalo de cumpleaños.

¿Qué dificultad debe tener el recorrido de las flechas? Eso depende de ti: adáptalo a las capacidades del niño, pero asegúrate de poner algo que valga la pena al final. De lo contrario, tu credibilidad se verá cuestionada.

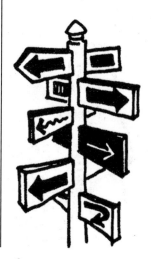

CREATIVIDAD Y FANTASÍA

Sombras con las manos

Lo único que se necesita para esta actividad es una habitación a oscuras, una lámpara y un poco de imaginación.

• Una habitación a oscuras
• Una lámpara

Ajusta la lámpara de modo que las sombras que proyecte sean nítidas y que la lámpara no estorbe el paso (no querrás que se produzca algún accidente a causa de algún movimiento repentino por parte del entusiasmado público). Luego trata de proyectar las sombras siguientes, o bien prueba con otras.

Un pájaro volando: Enlaza los dedos pulgares y agita los dedos mientras mueves las manos hacia arriba y en diagonal.

Un pato que hace «cua-cua»: Une las dos manos, entrelazando los dedos. Luego estira los dos dedos índices y vuelve las manos de modo que las palmas queden paralelas al suelo. Aplaude con los dedos índices.

Una mariposa: Coloca los dedos pulgares uno junto a otro; mantén los demás dedos unidos. Junta las palmas de las manos y vuelve a colocarlas en la posición original. Repite la operación. ¡Es asombroso la cantidad de animales que tienes en tus manos!

Superbaño de burbujas

Aquí no hay reglas, ni siquiera muchas instrucciones. Simplemente dobla (o si te sientes especialmente juguetón, triplica) la dosis normal del gel de burbujas favorito de tu hijo. Abre el grifo y... ¡que empiece la diversión!

Esto puede hacerse en cualquier momento del día. Lo divertido del superbaño de burbujas consiste básicamente en la posibilidad de hacer complicadas esculturas de burbujas: éstas pueden amontonarse formando racimos y nubes muy fácilmente, y luego explotar de repente. Probablemente tú te unirás a la diversión. Por nuestra parte, podemos dar fe de que un padre o dos que conocemos son capaces de construir un busto de Abraham Lincoln (sin el sombrero, por supuesto) sólo con burbujas.

No estornudes, por favor.

 **PRECAUCIÓN**

Piezas pequeñas

SE NECESITA:
• Gel de burbujas
• Bañera

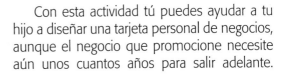

Tarjeta de negocios

Con esta actividad tú puedes ayudar a tu hijo a diseñar una tarjeta personal de negocios, aunque el negocio que promocione necesite aún unos cuantos años para salir adelante.

Se puede utilizar papel normal cortado en trozos de 8 cm x 5 cm, y una máquina de escribir, ordenador, impresora, o (lo más barato) un buen bolígrafo negro con el que tu hijo pueda copiar el texto unas cuantas veces a mano. Las tarjetas resultantes podrán repartirse con orgullo entre los familiares del niño, amigos, socios, posibles clientes y otros contactos. A continuación presentamos un par de textos a modo de ejemplo:

Daniel Ortiz
Proveedor de limonada LA DELICIA
c/ Pinar del cerro, 26
3104 Villalimones, Murcia
Para grandes pedidos, llamar al teléfono.
3542879

Pedro Gómez
GUARDATODO
Solucionamos su problema de almacenamiento
C/ Felipe II, 4
4076, Calachica, Cádiz
Tel. 8751087

Tres no en raya

Ésta es una nueva versión del clásico juego de «Tres en raya», que sin duda encantará a tus hijos.

El objetivo de «Tres *no* en raya» es *no* poner tres marcas en fila. Es un cambio divertido, y hará pensar un poco a quienes estén acostumbrados al juego de siempre. Los niños se adaptan a él con mucha facilidad.

Además de cambiar el objetivo del juego, existe una regla distinta: la persona que juega primero *debe* empezar por la casilla del centro. Esto coloca al jugador en una ligera desventaja pero, tras un par de partidas el juego se nivela. Probablemente recordarás que la casilla central era la más codiciada en el juego normal. Los jugadores deben alternarse para empezar el juego.

Pruébalo. Es un ejercicio estupendo para pensar al revés.

SE NECESITA:
• Papel
• Lápices

178

Un día en la vida de...

¿Qué hacen los animales durante todo el día? Para averiguarlo, pregunta a tu hijo.

SE NECESITA:

• Sólo tiempo

Dile que se imagine que es un tigre, un elefante, un pájaro o algún otro animal que le guste. Luego pídele que te describa un día típico de la vida de ese animal, comenzando desde el momento en que se despierta por la mañana hasta la hora de dormir.

Para estimular el pensamiento creativo y la imaginación, y hacer que el niño emplee sus conocimientos sobre el mundo animal, tal vez tengas que plantearle algunas preguntas de este tipo: «¿qué desayuna el conejo?», «¿a qué juega por la mañana?», «¿va a trabajar?», «¿qué tipo de trabajo hace?», etc. Una vez cubiertas las posibilidades con un animal, te toca a *ti* ser el animal y a tu hijo hacer preguntas.

Otra posibilidad consiste en que el niño describa la vida de una cría de la especie. Luego puede hablar sobre el modo en que la madre o el padre lo cuidan.

(¿A que no sabías que algunas crías de animales comen galletas a la hora del almuerzo?)

CREATIVIDAD Y FANTASÍA

Un historiador en la familia

179

Esta actividad se complementa muy bien con la 124, Árbol genealógico, aunque puede hacerse independientemente.

En la próxima reunión familiar, elabora una lista de preguntas para que tu hijo se las formule a las personas de más edad. Si proceden de otro país, tu hijo puede empezar preguntando sobre su vida anterior y posterior a su llegada: «¿dónde te criaste?», «¿a qué se dedicaban tus padres?», «¿qué hacías para divertirte?», «¿cómo era tu colegio?», «¿cómo llegaste aquí?», ¿cómo te sentiste al tener que vivir en un nuevo país?», «¿en qué era diferente?», «¿qué tipo de trabajo hacías?».

En cuanto a otros miembros de la familia, el niño puede preguntar sobre las casas en las que se criaron, su ciudad, sus amigos, la época del colegio, su profesión actual, viajes interesantes, etc.

Anota las respuestas para que tu hijo pueda centrarse en la entrevista. Si es posible, graba también las entrevistas. Puedes pegar fotografías de los familiares junto a las anotaciones y colocarlas en un cuaderno. El cuaderno y las cintas serán un maravilloso recuerdo para todos los miembros de la familia.

SE NECESITA:
- Papel y lápiz
- Un cuaderno

OPCIONAL:
- Una grabadora
- Fotografías

CREATIVIDAD Y FANTASÍA

Una frase al día

Ésta es una de esas actividades que sólo requieren un momento de dedicación al día, pero que hacen reír durante mucho tiempo.

SE NECESITA:
• Un cuaderno
• Lápiz

OPCIONAL:
• Lápices de colores

Ten a mano un cuaderno de notas dedicado a esta actividad: en la primera página debe leerse: «Cuento de una frase mía cada día; de... (fecha de comienzo...)». Luego, cada día, preferiblemente a la misma hora, pide a tu hijo que contribuya con una frase –sólo una– con la que se irá escribiendo un cuento en el cuaderno de notas. Los niños mayores pueden anotar las frases ellos mismos; los pequeños tal vez necesiten algo de ayuda para registrar la historia con el lápiz.

Al principio, probablemente costará un poco que los niños digan sólo una frase, pero a medida que el cuento vaya avanzando, el juego será cada vez más divertido. Ofrece sugerencias para que la primera frase resulte interesante. «Érase una vez un niño» probablemente no despertará un gran interés al día siguiente. En cambio, «Érase una vez un niño que tenía un nido de pájaros en la oreja» seguramente sí lo hará. Si a tu hijo le apetece pintar, dile que haga una ilustración cada día.

Zoo de juguete

Aparte de ir al zoo, lo mejor que se puede hacer es esto: fabricar un zoo en casa. Lo único que se necesita son unos cuantos animales de juguete (o imágenes de animales pegadas sobre cartón).

Tu hijo puede ordenar los animales en estanterías, en mesas, o sobre el suelo. Mientras tú aprovechas esta actividad para hablarle de las distintas clases de animales, deja que tu hijo se encargue del orden; quizá la forma más apropiada de organizar el zoo consista en agrupar a los animales por su color, o por la longitud de su cola.

Si quieres algo más sofisticado, coloca los animales en dioramas *(véase actividad 35),* y luego dispón los dioramas por la habitación. También se pueden poner gomas elásticas alrededor de cajas pequeñas simulando jaulas (no dejes que los niños pequeños jueguen con gomas elásticas). Pide a tu hijo información sobre el cuidado y la alimentación de los animales, sobre lo que les gusta, lo que no les gusta y si hay que tener alguna precaución especial en cuanto a acercarse demasiado a ellos. Escribe toda la información en tarjetas de cartulina. Los niños mayores pueden escribir ellos mismos.

Anima a tu hijo a que sea él quien te enseñe a ti cosas sobre los animales; quizá incluso te atrevas tú a meter el dedo en la boca del feroz conejo de Bengala.

SE NECESITA:
- Animales de juguete
- Tarjetas o fichas de cartulina

OPCIONAL:
- Materiales para un diorama
- Cajas pequeñas
- Gomas elásticas

CREATIVIDAD Y FANTASÍA

182

Cartas
con macarrones

SE NECESITA:
• Papel
• Macarrones
• Pegamento
• Témperas

¿Por qué conformarnos con esas tarjetas de felicitación tan poco originales que venden impresas? Cuando se aproxime alguna fiesta, algún cumpleaños o algún suceso especial, propón a tu hijo que haga una tarjeta de lujo con macarrones.

Estas tarjetas se hacen con macarrones crudos (o con cualquier otra variedad de pasta que agrade a tu hijo) como elementos decorativos. Se pega la pasta con pegamento no tóxico, se deja secar (un par de horas suele bastar), y luego se colorean las tarjetas y los macarrones con témperas. El resultado es espectacular. Sólo hay que tener una cosa en cuenta: si tienes intención de enviar por correo las tarjetas, ten la precaución de introducirlas en un paquete suficientemente acolchado; no tendría ninguna gracia que los macarrones se rompiesen en las máquinas de clasificación automática del Servicio de Correos.

Estas tarjetas son ideales para cumpleaños, el Día del Padre o de la Madre, Navidades, o cualquier otra ocasión, aunque no hace falta ningún motivo especial para hacer una.

Comer bien

Conseguir que los niños se alimenten correctamente es un problema de siempre, Pero ahora se le da más importancia que nunca: muchos pediatras afirman que la alimentación durante la primera infancia puede tener un efecto muy importante en la salud posterior.

Para enseñar a tus hijos nociones de nutrición, convierte el aprendizaje en un juego. Empieza construyendo un cuadro que muestre los cuatro grupos de alimentos, o los cuatro grupos básicos: proteínas, productos lácteos, frutas/verduras, y pan/cereales. Recorta imágenes de varios miembros de cada grupo y pégalas en una hoja grande de cartulina. Explica que, para estar sanos, necesitamos alimentos de los cuatro grupos.

Otra manera de enseñar los grupos es coger una lámina grande de cartulina o cartón y dividirla en cuatro cuadrantes, uno para cada grupo. Recorta las imágenes de los distintos alimentos y pégalas en fichas de cartulina. Amontónalas y pide a tu hijo que coloque las fichas en el grupo de alimentos correspondiente.

Una vez que tus hijos conozcan los cuatro grupos básicos, ármate de valor y diles que clasifiquen todo lo que hay en la mesa a la hora de la cena. ¿Qué tal es vuestra dieta?

SE NECESITA:
• Cartulina/cartón
• Fotos de alimentos

Comidas muy extrañas

A nuestro hijo y a sus amigos les encanta sugerirnos que les preparemos algunas comidas extrañas. Tú puedes hacer lo mismo con tu hijo, simplemente para pasar el rato, o mientras ambos esperáis que se termine de hacer una comida. A continuación (pedimos disculpas a los vegetarianos), presentamos algunos de los platos favoritos de nuestra familia:

• Dedos de serpiente francesa frita servida sobre un lecho de ladrillos de trigo
• Cuernos de ratón glaseados en calcetines de pan de centeno
• Manteca de cacahuete y alas de lagartija sobre guías telefónicas
• Patas de pescado con sillas de plátano
• Plumas de hipopótamo frías
• Aletas de pollo caliente en postes de madera
• Tarta de colmillo de ave cubierta de aletas de ratón
• Estofado de ala de camello

Y la lista continúa. ¿Cuántos entrantes raros se le pueden ocurrir a tu hijo desde este momento hasta la hora de cenar? ¿Le apetece una oreja de rana y suizo en franela oscura?

Dar de comer a los pájaros

Para cuidar pájaros se pueden hacer muchas cosas además de arrojar comida al suelo o en un comedero. Aquí presentamos dos formas muy originales de dar de comer a los pájaros. Si en tu zona hay pinos, pide a tu hijo que extienda manteca de cacahuete en una piña y luego la reboce en alpiste. Ata una cuerda a la piña y cuélgala de un árbol o gancho cerca de la ventana.

Otra posibilidad es hacer una «campana de sebo». Guarda la grasa de la carne asada y mézclala con el doble de alpiste y migas de pan. A continuación perfora un orificio en la base de un envase de yogur e introduce una cuerda, dejando que sobresalga del orificio unos 30 cm por cada lado. Mientras, sujeta la cuerda para que no se enrosque, vierte la mezcla dentro del envase y deja que se endurezca. Una vez completamente fría y dura, quita el envase y cuelga su campana de sebo de un árbol. La naturaleza hará el resto.

Hagas lo que hagas, los pájaros del vecindario agradecerán la comida, y tus hijos disfrutarán conociendo a sus nuevos vecinos.

 PRECAUCIÓN

Cocina

SE NECESITA:
- Manteca de cacahuete
- Piñas
- Grasa de carne asada
- Alpiste o migas de pan
- Un envase de yogur
- Cuerda

186

El huevo irrompible

Generalmente pensamos que los huevos son muy frágiles, pero en realidad son muy resistentes.

Da a tu hijo (o a cualquiera) un huevo crudo y pregúntale si puede romperlo utilizando sólo una mano y aplicando la misma presión por todos los lados. El huevo permanecerá intacto.

¿Por qué? Porque los huevos están preparados para soportar una gran presión (recuerda que la gallina tiene que sentarse sobre el huevo). Los huevos son un ejemplo de ingeniería natural, y soportan casi cualquier agarre humano con una sola mano. Prueba y verás.

Sólo hay una condición. Si un huevo tiene una pequeña grieta, no soportará la presión. Examina el huevo con una luz fuerte para comprobar si tiene alguna fisura, o de lo contrario (redoble de tambor, por favor) acabarás bastante pringado.

Estampado con patata

Lo creas o no, sólo se necesita una bolsa de patatas y unos cuantos utensilios caseros para montar una imprenta en casa.

Primero, corta una patata a lo largo. Da a tu hijo media patata por cada letra de su nombre y un rotulador. Dile que dibuje una letra, *en sentido contrario,* dentro de cada mitad de patata (tal vez tengas que ayudarle, dependiendo de la edad del niño).

El siguiente paso te corresponde sólo a ti. Con un cúter o cuchillo afilado, retira toda la patata que rodea a la letra, hasta una profundidad de medio centímetro aproximadamente. Cuando termines, tendrás el equivalente orgánico de un sello de caucho.

Después, vierte pintura de témpera espesa en un recipiente poco profundo. Di a tu hijo que sumerja la letra en la pintura, y que luego la presione sobre un papel. ¡Ya está!: letra impresa al instante. Haz lo mismo con las demás letras para que tu hijo tenga su nombre impreso.

Por supuesto, el niño puede dibujar cualquier otra cosa en las patatas, dependiendo de su destreza (y la tuya con el cuchillo). Los dibujos abstractos también quedan muy bien.

Sabemos de buena tinta que la madre de Gutenberg inició a su hijo en esta actividad.

 PRECAUCIÓN

Supervisar atentamente

SE NECESITA:
- Patatas grandes
- Un rotulador
- Un cúter o cuchillo afilado
- Témperas
- Papel

Galletas que se leen

PRECAUCIÓN

Cocina

SE NECESITA:

- Melaza
- Azúcar
- Mantequilla o margarina
- Leche
- Harina
- Bicarbonato de sodio
- Especias

Las galletas con forma de letras son muy divertidas. Para hacerlas, se puede emplear cualquier otra receta, o bien la que incluimos aquí. En cualquier caso, tu hijo lo pasará bien durante su elaboración midiendo, removiendo, amasando... y, por supuesto, comiendo.

Primero, calentar y mezclar (tarea de adultos). Calienta 1/2 taza de melaza hasta el punto de ebullición, luego añade 1/4 de taza de azúcar, 3 cucharadas de mantequilla y una de leche. En otro recipiente, mezcla 2 tazas de harina con 1/2 cucharada de cada uno de los siguiente ingredientes: bicarbonato, sal, nuez moscada, canela, clavo y jengibre. Añade los ingredientes en seco a la mezcla de melaza, y mezcla bien. Extiende la masa con un rodillo sobre una superficie enharinada formando una capa de medio centímetro de grosor.

A continuación ayuda a tu hijo a formar letras del alfabeto con tiras de masa, relacionando cada una con un animal u objeto apreciado. Esto puede hacerse sin necesidad de moldes con forma de letras, simplemente recortando con un cuchillo las letras que tu hijo dibuje sobre la masa. Los niños que están aprendiendo a leer pueden formar palabras con las letras. Coloca las galletas en una bandeja de horno previamente engrasada con mantequilla, y hornea entre 5 y 7 minutos, a 350 °C. Deja enfriar; sirve con leche, y cómete tus erres y tus emes.

Galletas saladas

A los niños les encanta ayudar en la cocina, sobre todo si se hacen cosas ricas que se puedan comer. Esta receta de galletas saladas es ideal para niños de todas las edades.

Disuelve un sobre de levadura en 1 $^{1}/_{2}$ taza de agua templada. Añade una cucharadita de sal sin llenar y 1 $^{1}/_{2}$ cucharadita de azúcar. Incorpora a la mezcla 4 tazas de harina, y amásala hasta formar una masa suave y blanda. Corta la masa en trozos pequeños. Ahora empieza la fase más divertida: modelar. Anima a tus hijos a modelar la masa formando letras (para que escriban su nombre, si es posible), contornos de animales, de edificios, esculturas, formas abstractas o cualquier cosa que se les ocurra. En otro recipiente, bate un huevo; luego, con una brocha, moja la superficie de las figuras. Si utilizas sal, espolvorea un poco por encima de cada galleta (preferiblemente sal gorda).

La parte de cocinar corresponde a los adultos. Hornea las galletas a 210 °C durante 15 minutos, o hasta que estén doradas. Una vez frías, tus hijos y tú podéis iniciar la fase final y más importante: comeros las galletas.

 PRECAUCIÓN

Cocina

SE NECESITA:

- 1 sobre de levadura
- Azúcar
- Sal
- Un huevo
- Harina
- Sal gorda

Hojas de apio

A continuación presentamos un pequeño experimento que encantará a los niños a la vez que les enseñará de qué modo circulan los fluidos por el sistema vascular de las plantas.

Consigue un tallo de apio robusto y con hojas. Corta a lo largo la base del tallo formando dos patas de unos 10 cm. Luego, llena un vaso pequeño de agua. Pide a uno de tus hijos que agregue varias gotas de colorante alimentario azul. Llena otro vaso y añade varias gotas de colorante alimentario rojo. Coloca una de las patas del apio en el agua azul, y la otra en el agua roja. Deja reposar toda la noche.

A la mañana siguiente, tus hijos se quedarán con la boca abierta al comprobar que la mitad de las hojas presenta una especie de líneas azules, y la otra mitad rojas. Explícales que el colorante alimentario se ha introducido en los pequeños canales que normalmente transportan el agua desde las raíces a las hojas cuando la planta se encuentra en la tierra.

Después, puedes cortar el tallo transversalmente para que los niños vean cómo ha llegado el color hasta las hojas. ¡Ver para creer!

Hojas de zanahoria

Cuando preparas una ensalada, ¿tiras las hojas de las zanahorias? Si es así, te estás perdiendo una gran oportunidad para demostrar a tu hijo cómo crecen las plantas.

Guarda esas hojas y pide a tu hijo que las coloque en platos pequeños con un poco de agua. Coloca los platos cerca de una ventana, mantén el agua a un nivel constante, y marca la longitud de las hojas el primer día. Al poco tiempo, tu hijo podrá apreciar un cambio de longitud de las hojas; tal vez sea éste el inicio de una rentable carrera de producción de hojas de zanahoria.

Comenzando con un nuevo extremo de zanahoria cada día, el niño podrá ver los resultados de una forma muy gráfica: siete plantas presentarán siete longitudes distintas al final de la semana.

NOTA: *Tendrás que comprar zanahorias frescas, en manojo, que son las que conservan sus hojas, no zanahorias de bolsa.*

(Véase también: 195. Patata con raíces)

SE NECESITA:

• Hojas de zanahoria
• Platos pequeños
• Agua

Huevos vacíos

PRECAUCIÓN

Supervisar atentamente

SE NECESITA:

• Huevos
• Un recipiente
• Acuarelas
• Rotuladores
• Macarrones, cebada

Hace tiempo, el nombre de Fabergé no era simplemente el de una colonia; era el nombre de la persona que perfeccionó el arte de decorar huevos huecos con preciosos adornos como oro y diamantes. Aunque la lista de materiales de tu hijo tal vez sea algo más modesta, ello no impedirá que cree obras de arte muy duraderas en huevos vacíos.

El primer paso te corresponde a ti: con un alfiler, practica un orificio en cada extremo de un huevo crudo. El orificio de la base debe ser más grande. Ahora viene la parte en la que puede colaborar tu hijo: dile que sople a través del orificio superior, vaciando el contenido del huevo en un recipiente (no se coma el huevo crudo). Las cáscaras de huevo vacías serán más resistentes si las dejas secar durante un día antes de decorarlas con acuarelas o rotuladores. Incluso se pueden pegar adornos (como macarrones, o cebada cruda) con pegamento no tóxico. Pídele que los coloree y quedarán tan bonitos que hasta el mismo Fabergé hubiera dado su aprobación.

La prueba de los huevos

He aquí un pequeño truco con el que tu hijo sorprenderá a sus amigos.

Se necesitan dos huevos, uno cocido y otro crudo. Di a tu hijo que se apueste una galleta con un amigo a que, incluso si el amigo cambia de posición los huevos mientras tu hijo está de espaldas, éste será capaz de elegir siempre el huevo duro, y abrirlo de golpe sin temor a ensuciarlo todo.

¿Que cuál es el truco? Los huevos cocidos dan vueltas alegremente cuando se les hace girar con los dedos; los crudos se detienen después de dar una vuelta y media aproximadamente. Demuestra a tu hijo la diferencia antes de que realice el truco, no vaya a ser que se equivoque y se vea obligado a pagar la apuesta.

SE NECESITA:
- Un huevo crudo
- Un huevo duro

194

Oobleck

SE NECESITA:
- Harina de maíz
- Agua
- Un cubo o palangana

OPCIONAL:
- Colorante alimentario
- Utensilios de cocina

En mi opinión, el potingue perfecto para jugar sería una sustancia no tóxica, fácil de preparar, fácil de limpiar y que proporcionara horas de diversión. No busques más allá de tu despensa. Lo único que tienes que hacer es mezclar harina de maíz y agua en la proporción adecuada. El resultado es «oobleck», un material para jugar inigualable; en la superficie se forma una especie de corteza dura, pero por debajo es lo bastante líquido como para pasar a través de un colador. Mientras se trabaja la masa entre los dedos, su textura cambia continuamente de dura a semilíquida, casi de una forma mágica.

Para hacer oobleck, basta con mezclar dos partes de harina de maíz y una de agua en un cubo o palangana. Remover la mezcla hasta que empiece a espesar.

Ahora empieza lo mejor. Proporciona a tus hijos cucharas, palas de plástico, embudos u otros utensilios de cocina (se pueden limpiar con agua y jabón después). Para crear distintos efectos, deja que tus hijos echen una cucharadita o dos de distintos colorantes alimentarios. Con cualquier cosa que prueben, el oobleck se transformará de mil maneras, proporcionando un entretenimiento sin fin.

ALIMENTOS

Con esta actividad podrás mostrar a tus hijos, sin salir de la cocina, cómo crecen las raíces de una planta.

Coge una patata e inserta tres palillos hasta el centro por tres lados distintos (ver ilustración). Utiliza los palillos para apoyar la patata sobre un vaso con agua (debe quedar aproximadamente media patata sumergida en el agua). Al cabo de una semana, la patata empezará a echar raíces dentro del vaso. También saldrán raíces por la parte que está al aire. Este experimento puede hacerse igualmente con un hueso de aguacate. En este caso, orienta hacia arriba el lado que acaba en pico. Las raíces crecerán hacia abajo, y por arriba saldrá un tallo central y hojas: ¡Milagros de la naturaleza!

Por último, otra posibilidad es hacer que le salgan raíces y tallo a media piña; sólo hay que cortar la parte superior y sumergir la inferior en un recipiente con agua (en este caso se necesitará un recipiente más grande y un sistema de apoyo más resistente).

Con independencia de la fruta o verdura que se elija, aprovecha la ocasión para explicar a tu hijo cómo las raíces absorben el agua y fijan la planta en el suelo. Pero no profundices demasiado en el aspecto educativo; las patatas, aguacates y piñas con raíces también sirven simplemente para que disfrutemos contemplándolas.

SE NECESITA:
- Una patata
- 3 palillos de dientes
- Un vaso de cristal

OPCIONAL:
- Un hueso de aguacate
- Piña

Pizzas a domicilio

- Masa para modelar
- Una caja de cartón
- Rotuladores
- Un bloc de notas

- Botones grandes
- Macarrones

En algunos lugares, el reparto de pizzas a domicilio está muy de moda; en otros no tanto. Vivas donde vivas, pasarás un buen rato preparando y repartiendo pizzas hechas con masa para modelar casera; serán unas pizzas estupendas para... bueno, para admirarlas.

Primero, elabora una buena cantidad de masa para modelar, siguiendo las instrucciones de la actividad 75, Masa para modelar, o de la 76, Masa para modelar (calidad superior), si deseas una pizza suprema de base gruesa. Da a tu hijo un rodillo de amasar para que extienda la masa en una capa fina, y una bandeja de galletas o un plato de papel para hornear la pizza. Cualquier caja de cartón hará de horno. Recorta una puerta delantera en la caja, y utiliza los lápices de colores o rotuladores para pintar los indicadores y otros detalles del horno. Por supuesto tu hijo tendrá que rociar la pizza de queso rallado: para eso servirá un puñado de fideos.

Antes de meter la pizza en el horno, tu hijo tal vez desee ponerle algunos ingredientes: pepperoni (botones grandes que no puedan tragarse), macarrones o cualquier otra cosa de aspecto apetitoso.

Proporciona a tu hijo un bloc de notas, luego espera que llamen a la puerta anunciando la llegada de la deliciosa cena de hoy.

ALIMENTOS

Polos helados de zumo

En verano, los niños suelen comer montones de polos helados. El problema es que estos caprichos tienen muy poco valor nutritivo (básicamente están hechos con agua, azúcar y colorantes). Además, son caros. ¿Por qué no hacer los polos en casa con tus hijos?

Lo único que se necesita son unos cuantos vasos de papel, algunas cucharas de plástico usadas y lavadas, y una botella o dos de su zumo favorito. Vierte el zumo en el vaso, coloca dentro la cuchara (al congelarse quedará inclinada, pero eso hará que el polo sea más original), y coloca el vaso en el congelador. Aproximadamente dos horas después, saca los polos del congelador y, para extraerlos del vaso, aplica sobre éste agua templada. Así, tendrás un delicioso polo helado casero.

Tus hijos, con el tiempo, querrán probar distintas combinaciones de zumos, algunas de las cuales resultarán muy sabrosas. Nosotros garantizamos el éxito de los polos de manzana y arándanos; otros sabores más arriesgados resultaron demasiado intensos. Una mezcla que hace estremecer es la de zumo de tomate y néctar de melocotón.

SE NECESITA:
- Zumos variados
- Vasos de papel
- Cucharas de plástico
- Frigorífico

198

Provisiones para el camino

Antes de que tu hijo y tú os embarquéis en una aventura, ¿por qué no preparar una buena provisión de alimentos variados? Nunca se sabe cuándo se va a necesitar una aportación extra de energía.

Haz una visita a tu tienda de alimentos naturales más cercana, o bien a la sección de productos naturales de tu supermercado. Adquiere pasas y otros frutos desecados (las manzanas y los albaricoques están muy buenos), frutos secos, galletas solas (o de chocolate) y cereales.

Busca bolsas con cierre o envases de plástico y di a tu hijo que introduzca un puñado de cereales en cada bolsa para formar la base del surtido. Luego deja que tu hijo experimente añadiendo otros ingredientes en proporciones diversas (probablemente convendría limitar el suministro de galletas normales o de chocolate).

Por alguna razón, una mezcla de aperitivos variados hecha en casa, con un poco de ayuda de algún adulto, es mucho más apetitosa que las mezclas que venden en las tiendas. Y además es mucho más nutritiva.

¿Listos para empezar la marcha?

SE NECESITA:

- Pasas de corinto/otros frutos desecados
- Frutos secos
- Galletas
- Cereales de desayuno
- Bolsas con cierre o envases de plástico

ALIMENTOS

Tortitas en relieve

¿Quién dice que hacer tortitas es aburrido? Esta actividad es entretenida además de nutritiva.

Recuerda que cocinar es una actividad propia de adultos: mantén a los niños alejados de las superficies calientes. Elige una receta de tortitas y vierte una pequeña cantidad de masa en la sartén dándole forma de letra, un animal sencillo (como un delfín o una ballena), una cara, un coche o cualquier otra cosa que puedas dibujar antes de que la masa comience a endurecerse. Una vez que los bordes del dibujo estén firmes, cubre la imagen con una cucharada grande de masa, lo suficiente para hacer una tortita. Dale la vuelta cuando la tortita comience a endurecerse, y verás su dibujo en relieve rodeado de un borde blanco. Otra posibilidad es hacer toda la tortita con la forma del objeto.

Por supuesto, lo que dibujes saldrá al revés, tenlo en cuenta con las letras e y r. Utiliza las tortitas para formar el nombre de tu hijo. Si se trata de un grupo de niños, describe el objeto que estés haciendo; quien acierte se come la tortita.

¡A partir de ahora el desayuno nunca será igual!

PRECAUCIÓN

Cocina

SE NECESITA:
• Ingredientes para las tortitas

200

Un arenero en el salón

 PRECAUCIÓN

Piezas pequeñas

SE NECESITA:

• Un cubo grande
• Arroz, harina de maíz, harina de avena, o pasta
• Utensilios de cocina

OPCIONAL:

• Una tela grande
• Coches, camiones o animales de juguete.

¿Qué hacer cuando nuestro hijo se empeña en salir a jugar en el arenero en pleno invierno? Meter el arenero dentro de casa, claro. Coge un cubo grande de plástico; colócalo sobre una lona, una tela o un plástico grande para facilitar la limpieza. Llena el cubo de arroz, pequeños trozos de pasta, harina de maíz, harina de avena o una mezcla de todas estas cosas. Luego proporciona a tu hijo todos los utensilios que necesitará para jugar con la arena: tazas, cucharas grandes, coladores, tamices, embudos y todo aquello que sirva para cavar.

Los niños muy pequeños disfrutarán manipulando lo que se les ponga en el arenero. Los que son un poco más mayores se divertirán también jugando con coches, camiones y animales en el arenero (con harina de maíz se puede hacer un estupendo desierto o una playa). La pasta de piezas pequeñas es magnífica para jugar con excavadoras, grúas y otras máquinas relacionadas con la construcción.

Por supuesto, también se puede jugar con animales de juguete en la arena de casa. Anima a tu hijo a hacer montañas, valles y otros accidentes del terreno para los dinosaurios, animales de la jungla y otros habitantes de la caja de los juguetes.

Cuando tu hijo termine de jugar, no te olvides de cubrir el arenero o de meterlo todo en un bote. No hay razón para dejar que los bichos de verdad participen de la diversión.

ALIMENTOS

Acampada en la cocina

Si te agrada la vida al aire libre, pero te asusta la idea de dormir bajo las estrellas, tenemos buenas noticias para ti: puedes acampar con tus hijos al abrigo de tu propia casa con nada más que una sábana, unas cuantas toallas o mantas y una linterna.

Cubre con una sábana la mesa de la cocina o del comedor y ya lo tienes: una tienda de campaña al instante. Haz un saco de dormir para cada niño con una toalla grande de playa o una manta. Reparte linternas (con pilas recargables), y luego apaga las luces de la habitación.

Para dar más emoción a la acampada se puede hacer un fuego de campamento con tubos de cartón de los del papel higiénico decorados como si fuesen troncos. En ese caso, también puedes asar malvaviscos sobre las brasas. Los niños muy pequeños simplemente disfrutarán moviéndose de un lado a otro dentro de la tienda. Los mayores tal vez deseen encabezar una expedición o contar historias de miedo. Tú puedes colaborar encargándote de los efectos sonoros... y tendiendo una mano si surge la necesidad.

SE NECESITA:
- Una sábana
- Toallas grandes o mantas

OPCIONAL:
- Linternas
- Tubos del papel higiénico
- Rotuladores/pinturas

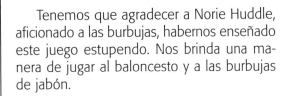

Baloncesto con burbujas

Supervisar atentamente

SE NECESITA:

• Burbujas de jabón monstruosas

Tenemos que agradecer a Norie Huddle, aficionado a las burbujas, habernos enseñado este juego estupendo. Nos brinda una manera de jugar al baloncesto y a las burbujas de jabón.

Sigue las instrucciones de la actividad 204, Burbujas de jabón monstruosas, y consigue una buena cantidad de ellas. Luego indica a tu hijo que, soplando, empuje las burbujas a través de la habitación hasta introducirlas en un cubo situado a cierta distancia. Por supuesto, la única manera de puntuar es evitar que la burbuja explote. Para ello, generalmente hay que soplar desde abajo tratando de elevarla, evitando que caiga al suelo, y luego soplar en la dirección adecuada a medida que la burbuja descienda.

Hay que encontrar el truco, pero resulta verdaderamente divertido. Se puede variar la dificultad del juego colocando el cubo más o menos cerca del niño, dependiendo de su habilidad.

¡Cuidado Michael Jordan!

(NOTA: *la mezcla que se utiliza para las burbujas puede estropear algunas superficies, de modo que es mejor mantenerla lejos de suelos delicados, alfombras y césped*).

Esta versión del bingo es muy apropiada para niños que no saben leer. Haz unos cuantos cartones de bingo con un trozo de cartulina (para ello puedes utilizar cajas que no sirvan). Con un lápiz o rotulador, divide cada cartón en cuatro partes. Cada parte deberá marcarse con un color distinto, y cada cartón debe ser distinto de los demás.

Recorta pequeños cuadrados de cartulina y coloréalos con los mismos tonos que hayas usado en los cartones, pero cada cuadrado de un solo color. Necesitarás un total de tres cuadraditos por cada color elegido en los cartones. Introduce los cuadraditos en una bolsa y agítala.

Pide a un niño que introduzca la mano en la bolsa y diga el color que ha sacado. Otra posibilidad consiste en utilizar uno de los dados gigantes de los que se describirán en la actividad 303. En tal caso, asegúrate de que todos los colores de las tarjetas estén representados en las caras del dado.

Cada vez que un jugador oiga nombrar uno de los colores que tiene en su cartón, debe colocar una ficha en el cuadrado correspondiente. Quien antes llene los cuatro cuadrados de su cartón, dice «Bingo» y cambia cada una de las fichas por una uva, una pasa o cualquier otra cosa apetitosa. Cada niño, por turnos, puede ser el encargado de sacar los colores de la bolsa. Al final del juego, se puede dejar que todos se coman lo que ha sobrado (*Véase también, 255. Bingo para niños mayores*).

PRECAUCIÓN

Piezas pequeñas

SE NECESITA:

• Cartulina
• Rotuladores, lápices de colores
• Fichas
• Cosas apetitosas para comer

Burbujas monstruosas

SE NECESITA:
• Una percha de alambre o limpiapipas
• Una cacerola
• Jabón lavavajillas
• Sirope de maíz

Los niños han jugado con burbujas de jabón desde siempre. Ahora tú puedes dar un nuevo giro a este juego elaborando una mezcla especial y haciendo varitas mágicas.

Empecemos por la mezcla: en un recipiente, mezcla seis tazas de agua, dos tazas de lavavajillas líquido, y tres cuartos de taza de sirope de maíz (para dar consistencia a las burbujas). Haz la mezcla cuatro horas antes de jugar, y luego viértela en una cacerola poco profunda.

Con un limpiapipas, o con alambre de perchas, se puede hacer una varita mágica. Forma una estrella con el alambre, dejando una parte para el mango, y mete los extremos en un tubo de cartón de los que vienen en perchas de pantalones (por motivos de seguridad, no dejes que tu hijo utilice la varita hecha con la percha; deja que se encargue de perseguir las burbujas que tú hagas. Además, ten la precaución de doblar los extremos del alambre para evitar la posibilidad de cortes). Una varita con un área de burbujas de unos 15 cm puede hacer burbujas del tamaño de una sandía. Sólo tienes que sumergir la varita en la cacerola y, con un golpe seco, agitar fuertemente el brazo. Una vez que cojas el tranquillo, harás enormes burbujas que volarán a la deriva lentamente por el aire antes de descender. Los niños, sobre todo los más pequeños, estarán encantados de correr tras sus burbujas monstruosas. (NOTA: *Mantén la mezcla lejos de alfombras, suelos delicados y césped*).

Búsqueda con linterna

Ya de noche, y con la luz encendida, esconde varios objetos en una habitación: animales de juguete, coches, un zapato, un libro, etc. Luego apaga la luz, di a tu hijo lo que has escondido, y entrégale una linterna (preferiblemente con pilas recargables). Tal vez desees proporcionarle también un sombrero de detective para la ocasión (no hace falta que sea como el de Sherlock Holmes; servirá cualquier sombrero especial).

Si hay un grupo de niños, se podría asignar a cada uno de ellos uno o varios objetos ocultos diferentes. El cruce de luces hará el juego más divertido.

La experiencia ha demostrado que a los más pequeños les gusta corretear a oscuras con una linterna (se recomienda la supervisión por parte de un adulto). Los niños algo mayores preferirán algo más difícil, de modo que se podría desafiarles a ganar al reloj.

Este juego puede servir para conseguir que los niños coman zanahorias: ¿qué niño no desearía mejorar su vista tras una de estas intensas búsquedas nocturnas con linterna?

 PRECAUCIÓN

Supervisar atentamente

SE NECESITA:
- Juguetes/objetos corrientes para esconder
- Una linterna

Búsqueda de objetos

- Papel
- Lápices de colores o rotuladores
- Objetos de la casa

- Papel o tela
- Una cesta

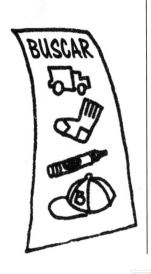

¿Alguna vez has jugado a buscar objetos en un cumpleaños o un campamento de verano? Si no es así, te has perdido una de las diversiones más bulliciosas de la infancia. Aquí te ofrecemos la oportunidad de recuperar el tiempo perdido.

Elabora una lista de objetos que haya por la casa, el jardín, el vecindario... dependiendo de cuánto desees extender la búsqueda. Sé muy concreto. Los niños que no saben leer pueden disfrutar del juego si se les entrega una lista con dibujos; dibuja imágenes sencillas de los objetos que deben encontrar. Deben ser cosas fáciles: un calcetín azul, un camión rojo, un libro sobre ositos de peluche, etc. Entrega la lista a tu hijo y una bolsa o cesta especialmente decorada para la ocasión, y ve tras ellos.

Haz que todos trabajen en una misma lista, establece un tiempo y anima al equipo a actuar más deprisa la próxima vez. Otra alternativa podría consistir en pedir a los niños que elaboren ellos una lista de cosas para que tú las busques. Si no las encuentras, no tienes más que pedir ayuda a un pequeñín: estas cosas suelen verse mejor cuando se está cerca del suelo.

Descripciones

Este sencillo juego no requiere ningún material en absoluto. Se puede practicar mientras se prepara la cena, mientras se viste a los niños, o en cualquier momento en que las manos estén ocupadas (también es estupendo durante los viajes). Mira a tu alrededor, o por la ventana, y elige un objeto. Luego di «Veo algo rojo del tamaño de un...», y describe sus características generales. Adapta esta actividad en función de las capacidades de tu hijo, comenzando por cualidades muy generales, como el tamaño y la forma, y yendo después a otros aspectos más sutiles, como para qué sirve o quién podría utilizarlo («Veo algo que puede contener agua...»).

SE NECESITA:
• Sólo tiempo

En el caso de niños pequeños, conviene guardar turno para describir y adivinar alternativamente. Con los niños mayores, inventa reglas más complicadas a medida que avance el juego. Por ejemplo, si los participantes no adivinan la respuesta y tienes que decirles el objeto, continúa describiendo otro objeto. Sin embargo, la persona que adivine la respuesta, describe el objeto siguiente.

Con independencia de cuáles sean las reglas, procura que los premios sean sencillos y que se centren en el juego. No establezcas reglas demasiado complicadas. Lo interesante del juego dependerá de la manera de describir las cosas (todo depende del cristal con que se miren).

Diez pistas

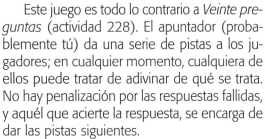

SE NECESITA:

• Sólo tiempo

Este juego es todo lo contrario a *Veinte preguntas* (actividad 228). El apuntador (probablemente tú) da una serie de pistas a los jugadores; en cualquier momento, cualquiera de ellos puede tratar de adivinar de qué se trata. No hay penalización por las respuestas fallidas, y aquél que acierte la respuesta, se encarga de dar las pistas siguientes.

Convendría que echaras un vistazo a los siguientes ejemplos antes de empezar. En poco tiempo, tus hijos y tú seréis capaces de inventar vuestras propias pistas (el segundo ejemplo es más fácil; tal vez prefieras organizar juegos distintos para los niños dependiendo de su edad, ya que los pequeños se sentirán frustrados si fallan todo el tiempo).

1) Soy un español famoso. 2) Nací en 1938, y todavía vivo. 3) Me formé en el ejército y estudié en la universidad. 4) Me casé en Atenas y tengo tres hijos: dos hijas y un hijo. 5) Vivo en Madrid. 6) Viajo continuamente por todo el mundo. 7) Me gustan los deportes, sobre todo el esquí. 8) Salgo mucho por televisión, acompañado de mi esposa. 9) Mi cara aparece en algunas monedas. 10) Soy Juan Carlos I, Rey de España.

1) Soy un animal muy conocido. 2) Soy pequeñito. 3) Tengo bigotes y rabo. 4) Soy amigo de los niños. 5) Me gusta la vida nocturna. 6) Soy muy generoso. 7) Nunca se me ve. 8) Entro en las habitaciones de los niños en ocasiones especiales. 9) Colecciono dientes. 10) Soy el ratoncito Pérez.

Diversión con cuchara

209

Ésta es una actividad entretenida que puede practicarse con un solo niño o con toda una pandilla.

SE NECESITA:
- Una cuchara
- Pelota de ping-pong

La idea es muy simple: se trata de colocar una pelota de ping-pong en una cuchara y caminar con ella por la casa. Pero ¿qué te parece aumentar la dificultad? Por ejemplo, comprueba si tu hijo puede andar por la casa siguiendo una ruta determinada sin que se le caiga la pelota. Cuando tu hijo adquiera cierta soltura, organiza un recorrido con obstáculos (334), o elabora una lista de cosas que debe hacer con la mano que le queda libre, como trasladar un libro de una mesa a otra, abrir y cerrar una puerta o un cajón, darse palmaditas en la cabeza, etc.

Si tu hijo es mayor, comprueba si puede atravesar el recorrido saltando con un pie sin que se le caiga la pelota. Si deseas aumentar mucho la dificultad, coloca la pelota en una cuchara de bebé o de medicina.

Los grupos de niños pueden hacer carreras con cucharas, o jugar al escondite. Todos aquellos que se escondan deben llevar una pelota de ping-pong en una cuchara mientras salen disparados hacia su escondite. Si ésta se cae, tendrán que esconderse allí mismo.

El circo de los niños

Si a tu hijo le gusta el circo, se puede organizar uno en el salón o cuarto de jugar de la casa. Estas son algunas sugerencias:

SE NECESITA:
- Una sábana o manta
- Animales de juguete
- Cajas
- Envases/vasos de plástico
- Cuerda

OPCIONAL:
- Pinturas para la cara
- Una camiseta de adultos y zapatos

Haz la carpa del circo cubriendo una mesa con una sábana, o bien coloca seis sillas en círculo, y luego cubre los respaldos con una sábana. Llena la carpa de numerosos animales de juguete (los artistas). Si tienes pinturas para la cara, puedes maquillar a tu hijo como si fuese un payaso; una camiseta tuya y unos zapatos completarán el disfraz. También puedes proporcionar algunas cajas para que los animales se sienten encima. Une las cajas con cuerda y tendrás un tren de circo. Coloca algunos envases redondos o vasos de plástico boca abajo cuando sea el momento de comenzar las actuaciones. Si tienes un tigre o un león de juguete, haz una jaula, luego suelta a la fiera para que el niño pueda demostrar su valor.

Por supuesto, se necesitará algún refrigerio, de modo que prepara unas palomitas de maíz. Luego reparte las entradas –previamente decoradas por tu hijo– a otros hermanos, amigos, familiares, etc.

En nuestra casa tenemos una norma importante: todo espectáculo circense conlleva una *espectacular* limpieza. Cosas del mundo del circo.

El juego de las tenazas

PRECAUCIÓN

Piezas pequeñas

SE NECESITA:
• Unas tenazas de barbacoa
• Juguetes pequeños/
  objetos de la casa

OPCIONAL:
• Caja de cartón
• Palillos chinos

¿Alguna vez has probado uno de esos juegos en los que se introduce una moneda y se intenta agarrar un juguete con un brazo mecánico? Ahora podrás practicar unos cuantos juegos parecidos a éste en tu casa.

Reúne diversos juguetes pequeños o cosas de la casa, y da a tu hijo unas tenazas de barbacoa. Comienza por dejar que el niño simplemente coja objetos de la mesa con ellas. Después puedes aumentar la dificultad recortando una ventana en un lado de una caja de cartón para que el niño intente coger las cosas con las tenazas a través de la ventana.

Otra versión del juego consiste en colocar los objetos dentro de una bolsa o caja, y que los niños intenten sacarlos con los ojos vendados o cerrados (también puede utilizarse esto como juego de memoria, en el que se enseña los objetos a los niños previamente y ellos deben identificar los que quedan). Otra posibilidad es llevar los objetos de un lado a otro de la habitación para colocarlos en otro lugar. Para los más expertos, establece un tiempo límite.

Como prueba de fuego, haz que tus hijos utilicen palillos de comida china en lugar de tenazas. ¡Quieto ahí!

El juego de Wally

SE NECESITA:

• Platos de papel o anillos de plástico de unos 12 cm de diámetro
• Un candelero, velas

OPCIONAL:

• Una botella de cuello largo y sin abrir
• Papeles de colores

De acuerdo: no quieres que tus hijos se dediquen a lanzar herraduras en el salón de tu casa. Éste es un buen sustituto, inventado por nuestro amigo Wally Powers, con el que los niños se divertirán igualmente.

Busca unos platos de papel resistentes, con un diámetro mínimo de 12 cm. Recorta el centro dejando un anillo de 2,5 cm de ancho. Luego coloca una vela en un candelero (o construye un artilugio parecido). Pide a tu hijo que lance el aro de papel y comprueba si es capaz de encajarlo en el poste (una botella de vino o de aceite llena también será un buen poste).

Los niños pequeños disfrutarán simplemente haciendo volar el plato de papel. Para que les resulte más fácil acertar, coloca muchos postes en el suelo. Los niños algo mayores tal vez quieran inventarse reglas más difíciles.

¡Sé rápido, sé certero; encaja el aro en el candelero!

Esta actividad requiere supervisión por parte de los adultos.

El mapa del tesoro

Esta actividad consiste en encontrar los trozos de un mapa escondido. Dibuja un mapa de tu casa (o de una habitación). Adapta el nivel de los detalles a la edad y capacidad de tus hijos. Indica la posición del cofre del tesoro (una caja o sobre que contenga una recompensa o algo rico para comer).

Corta el mapa en una serie de trozos irregulares. También aquí debes adaptar la dificultad del puzzle a la capacidad de los niños. Para reforzar el mapa, pégalo sobre un cartón, déjalo secar y luego corta los pedazos.

A continuación, esconde los trozos en una habitación y ofrece pistas sobre su ubicación. En general, procura que la búsqueda resulte fácil si los niños son pequeños. Si son mayores, deja que se estrujen el cerebro. Una vez que los más pequeños hayan montado el puzzle-mapa, tal vez tengas que ayudarles a interpretarlo; los mayores podrán arreglárselas solos.

Como es natural, es importante que el esfuerzo valga la pena: el tesoro podría consistir en un vale que pueda canjearse por algo delicioso hecho en casa, una salida familiar que elija el niño, o algún otro premio que gratifique tan ardua búsqueda.

SE NECESITA:
- Papel
- Material de dibujo
- Tijeras (para uso de adultos)

OPCIONAL:
- Pegamento
- Cartón

214

El truco del sombrero

No, esta actividad no tiene nada que ver con los juegos de azar. Se trata de encestar las cartas dentro del sombrero.

Cualquier sombrero servirá, un bombín estropeado, un sombrero de vaquero, o una gorra de béisbol. Coloca el sombrero en el suelo, en el centro de una habitación grande, y reparte una cantidad idéntica de cartas a cada jugador (también se pueden utilizar tarjetas de cartulina; lo importante es que todo el mundo tenga la misma cantidad).

Ahora indica a los jugadores que lancen las cartas por turno (es más difícil de lo que parece, pero recuerda que siempre puedes ajustar la distancia dependiendo de la destreza y la paciencia de los jugadores). Todo el que enceste una carta en el sombrero gana el derecho a lanzar otra. El jugador que enceste más cartas comienza la siguiente ronda.

En el caso improbable de que un jugador logre encestar todas sus cartas directamente en el sombrero sin fallar ni una vez, todos los demás jugadores tienen derecho a tratar de igualar la hazaña. Y, reconozcámoslo: aquel que logre encestar veinte cartas seguidas merece una propina en el sombrero.

Es mi mano

Este juego es especialmente divertido con un número de jugadores entre 6 y 8. Consiste en lo siguiente. Los jugadores se sientan en corro. Comienza uno de ellos, diciendo ¡es mi mano! y se toca a la vez la rodilla. El jugador a su derecha tiene que decir el nombre de la parte del cuerpo que se ha tocado su compañero: ¡es mi rodilla! Mientras se toca otra, por ejemplo, el codo. Continúa así la ronda. Si se quiere dar más emoción al juego puede jugarse cada vez más rápido.

SE NECESITA:

• Sólo tiempo

216

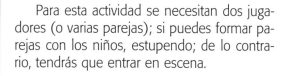

Espejito, espejito (o cópiame)

Para esta actividad se necesitan dos jugadores (o varias parejas); si puedes formar parejas con los niños, estupendo; de lo contrario, tendrás que entrar en escena.

Y entrar en escena es una buena manera de describir esta actividad; es un buen ejercicio de calentamiento que utilizan los actores y otras personas del espectáculo. Dos personas se colocan cara a cara; una hace algo, y la otra la imita. Sin embargo, el objetivo no es copiar al guía, sino más bien realizar los movimientos al mismo tiempo. Si dos personas practican juntas muy despacio, llegará un momento en que ambas (o ninguna de las dos, depende de cómo se mire) hacen de guía, es decir, ambas actúan al tiempo.

Decir adiós con una mano, parpadear, inclinarse... ¿Cuántas cosas puedes tú llegar a realizar con tu hijo como si fueses un espejo?

En esta actividad se combinan la destreza y la suerte. También se estimula la memoria visual del niño y su capacidad de observación.

Busca una hoja de papel o de cartón grande (como mínimo, 1 m x 1 m). Dibuja una cuadrícula sobre el papel, con cinco filas horizontales y cinco verticales; cada cuadrado debe tener unos 20 cm de lado. En las filas horizontales pon adjetivos como blando, duro, suave, brillante, etc. En las verticales cinco colores.

Pide a tu hijo que se coloque a una distancia determinada y arroje una bolsa llena de judías en la cuadrícula *(véase la actividad 219, La bolsa de judías, para hacer la bolsa)*. Si la bolsa cae en el cuadrado donde dice «brillante» y «rojo», debe buscar un objeto rojo y brillante de la casa. Confecciona la cuadrícula pensando en los posibles objetos de tu casa.

También se puede hacer una cuadrícula para animales, camiones o cualquier cosa que tu hijo pueda nombrar según sus conocimientos. Por ejemplo, una cuadrícula de animales podría incluir cualidades como piel suave, cuatro patas, vive en el agua, etc. Las posibilidades son ilimitadas, y una cuadrícula cada día acaba con el aburrimiento.

SE NECESITA:
- Un papel grande
- Un rotulador
- Una bolsa de judías

218

Juegos para recoger

- Avisador de cocina

- Una campanilla

A lo largo de este libro procuramos fomentar los juegos no competitivos. Sin embargo, este caso es una excepción, por una serie de razones obvias.

Muchos padres (incluidos nosotros) piensan que sus hijos deberían ayudar a recoger todo lo que desordenan. ¿Qué tal si, en lugar de hacer del orden una batalla, el momento de recoger se convierte en un juego?

Si se trata de un solo niño, coge un avisador de cocina y plantea un desafío de este tipo: «Vamos a ver si eres capaz de recoger todos tus muñecos antes de que suene el timbre». El truco consiste en hacer que las tareas resulten sencillas y amenas, sin tener que decir: «Ordena tu habitación».

Si hay varios niños, asigna a cada uno una tarea bien definida, y desafíales a comprobar quién de ellos puede ordenar su zona más rápidamente.

En el caso de niños de educación infantil, pueden agitar una campanilla por turno para indicar la hora de recoger, momento en el cual cada niño asume una tarea. En nuestra casa, a nuestro hijo le encanta hacer sonar la campanilla para indicar el momento de recoger antes de ir a dormir, y él mismo se asigna una tarea, al tiempo que mamá y papá encuentran también algo que hacer.

La bolsa de judías

¿Recuerdas cuando en el colegio jugabas a llevar el borrador de la pizarra sobre la cabeza los días de lluvia? He aquí una versión distinta utilizando una bolsa de judías en lugar del borrador.

Coge media taza de judías crudas e introdúcelas en una bolsa pequeña. Extrae el aire de la bolsa, pero dejando sitio suficiente como para que las judías se muevan al sacudir la bolsa. Cierra la bolsa con un pequeño alambre (como los de las bolsas de pan de molde), o con un nudo. Luego introduce la bolsa en la punta de un calcetín viejo. Cierra el calcetín con un alambre y corta la tela que sobra. Necesitarás dos bolsas de judías para este juego, una para cada uno de los jugadores (si hay un grupo de niños, jugarán de dos en dos). Organiza un recorrido con obstáculos (sillas, mesas y otros muebles). Ya está todo listo para jugar. Nombra a uno de los jugadores «perseguidor». Indica a ambos jugadores que lleven la bolsa de judías sobre la cabeza, como si fuese un sombrero. El objetivo del juego es que el «perseguidor» alcance y toque al «perseguido» sin que se le caigan las judías. En el caso del jugador perseguido, su objetivo es atravesar el recorrido lleno de obstáculos sin que le toquen y sin perder las judías.

Existen infinitas variaciones posibles en este juego; basta con *utilizar la cabeza*.

SE NECESITA:
- Judías crudas
- Bolsas
- Calcetines
- Cierre de alambre

220

La caja de botones de la abuela

SE NECESITA:

• Sólo tiempo

¿Alguna vez has jugado a «la caja de botones de la abuela? Si no es así, esta actividad llenará esa laguna de tu pasado. Aquí te enseñamos a practicar este juego con uno o más niños.

La primera persona dice: «Abrí la caja de botones de mi abuela y encontré un sombrero (o algún otro objeto)». La siguiente dice: «Abrí la caja de botones de mi abuela y encontré un sombrero y (otro objeto)». La siguiente añade otro objeto a la lista hasta que la secuencia es demasiado difícil de recordar.

En el caso de niños mayores, diles que hagan la lista en orden alfabético para añadir más dificultad («...y encontré un avión de juguete, una bolsa llena de lazos, una cuchara...», etc.).

Una variante de este juego consiste en pensar en un bolsillo en lugar de una caja de botones. Uno dice: «Mi bolsillo pesa mucho porque hay un hipopótamo dentro». El siguiente jugador añade otro animal al bolsillo, y el juego continúa hasta que nadie puede recordar toda la lista, o bien los bolsillos están demasiado llenos, o las risas son demasiado ruidosas.

¡Lánzalas! (o cómo divertirse con cartas aunque no se sepa leer ni contar)

Éste es un juego de cartas para dos o más jugadores con el que disfrutarán incluso los que no saben leer.

Coge una baraja de cartas y repártelas a partes iguales entre los jugadores. Los participantes, por turnos, lanzan una carta contra la parte inferior de una pared; el objetivo del juego es conseguir que la carta se quede apoyada verticalmente, sin caerse. Quien lo consigue se lleva todas las cartas que se hayan lanzado contra la pared. Las cartas que fallen pasan a formar parte del «bote».

SE NECESITA:
• Una baraja de cartas

En el caso de niños mayores, sugiéreles reglas más difíciles. Por ejemplo, pide a tu hijo que coja una carta de la baraja boca abajo, y luego la lance sin mirarla. Sólo cuentan los corazones y los diamantes que se apoyen en la pared; el resto deben lanzarse de nuevo.

Baraja y... ¡lanza!

Las olimpiadas de las judías

- 4 bolsas de judías o más
- Cinta adhesiva
- Una cacerola grande

Si ya has fabricado una bolsa de judías (véase actividad 219: La bolsa de judías), sin duda habrás descubierto lo versátil que puede ser este juguete. Aquí te enseñamos varios juegos con bolsas de judías que pondrán a prueba la destreza y puntería de tu hijo. Para estos juegos necesitarás unas cuantas bolsas de judías, dependiendo del número de niños que vayan a participar.

En primer lugar, lanza una bolsa de judías al suelo. Desde una distancia de 2 o 2,5 m, cada jugador debe lanzar su bolsa de judías lo más cerca posible de la tuya pero *sin* tocarla. El ganador lanzará la primera bolsa para los demás jugadores en la ronda siguiente.

Otra posibilidad consiste en trazar una línea en el suelo con cinta de carrocero a una distancia de unos 2 m de los jugadores. El que lance la bolsa más cerca de la línea sin sobrepasarla será el primero la vez siguiente.

También se puede jugar al baloncesto con bolsas de judías. Coloca una cacerola o cubo grande en el centro de la cocina o sala de estar, a modo de canasta. Dos metros es una buena distancia para situar la línea de lanzamiento, pero se puede empezar desde más cerca, o más lejos, dependiendo de la capacidad de los niños.

Manteles individuales mágicos

Ésta puede ser una buena manera de pasar de la cena a otras actividades nocturnas, evitando ese momento que los niños suelen dedicar a ver televisión.

Hazte con un buen surtido de fotografías recortadas de revistas, catálogos y periódicos. Una vez puesta la mesa, cada miembro de la familia elige en secreto una fotografía del montón, y la esconde debajo de su mantel. Terminada la cena, una persona da pistas sobre su fotografía. El que acierte dice unas palabras mágicas y levanta el mantel de la persona: una fotografía del animal u objeto misterioso se materializa delante de las narices de todos. Entonces pasa el turno a la siguiente persona de la mesa.

Una variante del juego consiste en encargar a un niño que ponga la mesa, elija fotografías y las coloque debajo de los manteles individuales de cada uno. Esto hace que el niño sea el centro de atención durante todo el juego, y le obliga a recordar qué fotografía hay debajo de cada mantel. También se consigue que ponga la mesa... bueno, más o menos.

SE NECESITA:
- Fotografías recortadas de revistas
- Manteles individuales
- Sentarse a cenar

Ollas y cacerolas

SE NECESITA:

• Dados gigantes
• Ollas y cacerolas
• Papeles de colores
• Una bolsa de judías
  o una pelota
  de gomaespuma

En esta actividad se utilizan los dados gigantes que se describirán en la actividad 303.

Marca cada una de las caras del dado con colores. Coloca media docena de ollas y cacerolas en el suelo. Pon un trozo de papel de color en el fondo de cada olla o cacerola, o bien pega con cinta adhesiva un trozo de papel en un lado, de modo que cada cacharro lleve el mismo color que una de las caras del dado.

Ahora tu hijo y tú podéis lanzar el dado por turnos. Cualquiera que sea el color que salga, trata de lanzar una bolsa de judías o una pelota de goma espuma dentro del cacharro marcado con el mismo color (*véase actividad 219 para saber cómo hacer una bolsa de judías*).

Para variar, designa comodín a una de las caras del dado, de modo que tu hijo y tú podáis arrojar la bolsa de judías o la pelota en cualquiera de los recipientes cuando salga el comodín. Los niños mayores pueden inventarse otros sistemas.

Para aumentar la dificultad, ordena los cacharros de tal forma que los más pequeños estén más cerca, y los mayores más lejos. Por supuesto, tu hijo puede colocar los cacharros aleatoriamente si eso parece lo más adecuado.

Orquesta al instante

Los siguientes instrumentos musicales, muy fáciles de tocar, están garantizados: te harán seguir el ritmo con el pie y menear la cabeza. Puede que tus hijos no siempre lleven el compás pero... es una cuestión de opiniones ¿verdad?

Pide a tu hijo que fabrique los siguientes instrumentos:

Sintetizador orgánico básico de peine y papel: Envuelve un peine con dos o tres capas de papel de seda; ya puedes encender el interruptor. Di a tu hijo que canturree con los labios ligeramente separados mientras mantiene el sintetizador pegado a su boca. No necesita electricidad.

Tambor con envase vacío: Hoy en día la mayoría de los envases cilíndricos de cartón vienen con tapas de plástico. Los puristas prefieren la versión estándar con tapa de cartón. Una cuchara de madera servirá de palillo.

Instrumentos de viento con botellas de gaseosa: Una o varias botellas de plástico emitirán un sonido de calidad superior; lo único que tiene que hacer cada músico es soplar suavemente a través de la parte superior de la botella. Para variar el tono, añade agua.

Cuando diga tres...

SE NECESITA:
- Peine
- Papel de seda
- Un envase con forma de tambor
- Cuchara de madera
- Botellas de refresco

OPCIONAL:
- Agua

Risa en cadena

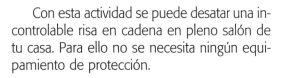

• Sólo tiempo

Con esta actividad se puede desatar una incontrolable risa en cadena en pleno salón de tu casa. Para ello no se necesita ningún equipamiento de protección.

Para desatar la cadena de la risa, son necesarias al menos tres personas (adultos o niños). Una persona se tumba en el suelo. Otra coloca la cabeza sobre el estómago de la primera. La tercera coloca su cabeza en el estómago de la segunda, y así sucesivamente. La primera persona dice «Ja», tras lo cual, la segunda dice «Ja, ja», y así toda la cadena.

Al final sucederá algo curioso: el «ja, ja, ja» se convertirá en una risa verdadera, tal vez en oleadas de auténticas carcajadas.

Prueba a invertir la dirección cuando las cosas se calmen... o bien, la prueba de fuego: comprueba cuánto tiempo puede mantener su posición todo el mundo *sin* reírse. Inevitablemente alguien no podrá aguantar más, y las oleadas de risas invadirán de nuevo la habitación.

Manos parlantes

Para esta actividad es preferible un número par de jugadores, pero no hay inconveniente si se es un número impar, ya que se pueden alternar los papeles.

Un jugador, de pie o sentado, pone sus brazos hacia atrás, enlazando sus manos a la espalda. Otro jugador se pone detrás, pasa sus brazos debajo de los de su compañero. Entre los dos va a representar una escena (por ejemplo, comer algo, pintarse la cara para una función de circo, leer el periódico, etc.). El jugador primero habla y el segundo hace los gestos de las manos. Incluso se puede ampliar el juego haciendo que participen dos o más parejas de jugadores.

SE NECESITA:
• Sólo tiempo

228

Veinte preguntas

Éste es un juego clásico que era muy popular antes de que la televisión comenzase a monopolizar el tiempo de la familia. Podrás comprobar que es una fascinante y cautivadora prueba de lógica y razonamiento para miembros de la familia de todas las edades.

Un jugador piensa en un objeto o persona; la única regla en la selección es que debe ser un animal, vegetal o mineral, de modo que no valen conceptos abstractos o muy largos, como postmodernismo o la cabalgata de los Reyes Magos. El juego se desarrolla por turnos, y cada jugador formula una pregunta que pueda responderse sí o no.

Hay una excepción a la regla de la respuesta sí o no: tradicionalmente, la primera pregunta siempre es la siguiente: ¿Es un animal, un vegetal o un mineral?. Esta pregunta puede responderse con una de las tres opciones (tal vez tengas que explicar estas tres categoría a los niños pequeños). La segunda pregunta suele ser: ¿es más grande que una caja de guardar pan? Ésta es la primera de las preguntas que se responden con un sí o un no.

La persona interrogada lleva la cuenta del número de preguntas formuladas; quien adivine la respuesta antes de la pregunta número veinte se encarga de pensar en un nuevo objeto o personaje misterioso para adivinar.

Si deseas un cambio interesante, *consulta la actividad 208 (Diez pistas).*

Calculadora con damas

Éste es un buen juego para practicar las sumas.

Comienza con un tablero de damas y ocho damas, cuatro de cada color. Coloca todas las damas en fila en un extremo del tablero, cuatro negras a la izquierda y cuatro rojas a la derecha. Las negras mueven primero, de modo que el jugador que tenga las rojas dice un número comprendido entre el uno y el seis, por ejemplo el cuatro. A continuación las negras deben decir qué número, sumado al cuatro, llevará a una dama al otro extremo del tablero. Entonces lanza *dos* dados; si en alguno de ellos sale el número correcto, el jugador puede avanzar hasta el final del tablero y sacar la dama de la superficie de juego. Los turnos se alternan; quien antes se quede sin las cuatro fichas, comienza el juego siguiente.

Este juego no necesita pilas, ni tampoco interruptores que se atasquen. ¡Otro triunfo sin necesidad de tecnología!

 PRECAUCIÓN

Piezas pequeñas

SE NECESITA:
- Tablero de damas
- Damas
- Dados

Chisambop

El chisambop es un método de cálculo inventado por un maestro de escuela coreano, Sung Jin Pai. A los niños de educación primaria les bastarán unos cuantos minutos para aprender a utilizarlo. Se necesitan las dos manos.

Primero pruébalo tú. Coloca tus manos sobre la mesa con las palmas hacia abajo, y los dedos separados. Ése es el cero. Luego cierra los dos puños. Tu calculadora marca ahora 99, el valor más alto. Leyendo ahora de izquierda a derecha, cada uno de los cuatro *dedos* de tu mano izquierda equivale a diez; el *dedo* pulgar izquierdo equivale a cincuenta; el *dedo* pulgar derecho, a cinco; cada uno de los cuatro *dedos* de tu mano derecha equivalen a uno. Ahora forma distintos números: por ejemplo, dos pulgares doblados hacia abajo equivaldrían a 55; dos índices, a 11.

Probemos con una suma sencilla: 18 + 26. Representa 18 bajando el dedo índice izquierdo y los dedos pulgar, índice, corazón y anular de la mano derecha.

Ahora, para el 26 habrá que pensar en 10, 10, 5, y 1. Los dos primeros dieces son fáciles: baja los dedos corazón y anular de tu mano izquierda. El cinco es algo más difícil: cambia de mano. Eleva el pulgar derecho (restando 5), luego baja el meñique izquierdo (sumando 10, con lo cual ganas en realidad 5). Para el 1, desciende el meñique derecho. Tus manos indican ahora 44: justo la respuesta correcta.

18

44

Cinco al cuadrado

He aquí una auténtica inyección de confianza para aquellos niños que ya dominan las tablas de multiplicar y están aprendiendo a elevar al cuadrado.

Tú puedes enseñar a tu hijo a elevar al cuadrado rápidamente cualquier cifra de dos dígitos que termine en cinco.

Primero: Multiplica el primer dígito por ese mismo dígito más uno. Por ejemplo, supongamos que tenemos 75; multiplicamos 7 x 8, puesto que 7 + 1 = 8. El resultado, por supuesto, sería 56.

Segundo: Coloca el número 25 al final de la solución, y ahí lo tienes: 75 x 75 = 5625.

Funciona siempre. Haz que tu hijo pruebe este método con tres o cuatro números, y luego comprueba los resultados con una calculadora. ¿Quién dice que las matemáticas son difíciles?

SE NECESITA:
• Calculadora

OPCIONAL:
• Bolígrafo
• Papel

Dibuja una mariquita

Con esta actividad vamos a dibujar una mariquita con ayuda de un dado. Se trata de dibujar primero el cuerpo, después la cabeza, las 4 patas, los ojos, las dos alas y 3 puntitos en cada ala. Cada jugador prepara su papel y lápiz; por turno tiran el dado una vez cada uno y quien saque más puntos es el que comienza el juego.

El dibujo empieza por el cuerpo, que se pinta cuando salen 5 puntos. Mientras no se tenga esta puntuación no se puede empezar. Tampoco se pueden pintar los ojos antes que la cabeza. Los puntos del dado corresponden cada uno a una de las seis partes del dibujo:

1: cabeza   2: ojos

3: alas   4: puntitos de las alas

5: cuerpo   6: pata

Las alas se dibujan en una sola tirada, trazando una línea vertical en el cuerpo. Cada 2 es un ojo y cada 4 los tres puntitos de cada ala. Por tanto hay que sacar dos 2 para hacer los ojos y dos 4 para hacer los puntitos de las alas.

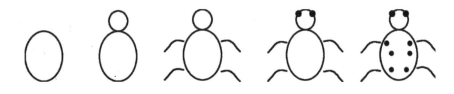

El reloj

He aquí una manera de ir familiarizando a los niños pequeños –poco a poco– con la idea de las horas.

Utiliza un reloj auténtico, o bien fabrica uno con cartulina. Si optas por lo último, fija las manecillas con un encuadernador (de venta en papelerías) o un limpiapipas, de modo que queden ajustadas, pero puedan moverse.

A continuación coloca las manecillas a la hora en que tu hijo se levanta por las mañanas. Gira la pequeña por todo el reloj, y habla sobre las distintas cosas que hace tu hijo a diferentes horas del día.

Busca fotografías de revistas que representen las actividades de las que se está hablando (por ejemplo, una imagen de una caja de cereales para desayuno). Pégalas en el reloj, cerca de la hora adecuada, o bien dibuja pequeños relojes con manecillas en las fotografías de la revista.

No te precipites a la hora de enseñar a tu hijo a decir las horas; nuestro hijo miraba el reloj y decía «siete kilos»; pero de alguna manera sabía que «siete kilos» significaba que faltaba poco para el baño.

SE NECESITA:
- Un reloj
- Papel
- Fotografías de revistas que representen actividades cotidianas
- Pegamento o cinta adhesiva
- Lápices de colores o rotuladores

OPCIONAL:
- Cartulina, un encuadernador (de venta en papelerías) o un limpiapipas

234

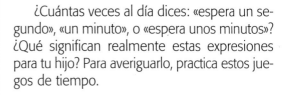

SE NECESITA:

• Un reloj con segundero

¿Cuántas veces al día dices: «espera un segundo», «un minuto», o «espera unos minutos»? ¿Qué significan realmente estas expresiones para tu hijo? Para averiguarlo, practica estos juegos de tiempo.

Consigue un reloj con segundero. Pide a tu hijo que cierre los ojos y que empiece a contar: «un hipopótamo, dos hipopótamos», etc., explicándole que se tarda aproximadamente un segundo en decir cada «hipopótamo». Luego comprueba si tu hijo es capaz de contar los segundos mentalmente y de decirte cuándo se han acabado los segundos.

Ahora pasa a períodos de tiempo más extensos. Muestra a tu hijo cuánto tiempo tarda el segundero en dar la vuelta a la esfera del reloj, y explícale que una vuelta completa equivale a un minuto. Luego dile que dos vueltas alrededor del reloj son dos minutos. Aunque tu hijo no sepa las horas, tal vez sea capaz de asimilar la idea de que el segundero da vueltas al círculo. Dile que te avise cuando hayan pasado uno o dos minutos. Luego retira el reloj de su vista y pídele que trate de adivinar cuándo ha pasado un minuto.

A propósito, ¿cuánto tiempo has tardado en leer esto?

Los nueves locos

¿Está aprendiendo tu hijo las tablas de multiplicar? Esta actividad le ayudará a dominar la tabla del nueve en un periquete.

El nueve es un número extraño. Sin embargo, es muy fácil saber si un número es divisible por nueve: basta con sumar sus dígitos hasta reducir el resultado a un solo número. Si la cifra resultante es nueve, quiere decir que el número inicial forma parte de la familia. Funciona con 45 (4 + 5 = 9); también funciona con 5.625 (5 + 6 + 2 + 5 = 18; 1 + 8 = 9).

Y ahora viene lo divertido: Para conseguir los diez primeros resultados de la tabla de multiplicar del nueve, di a tu hijo que siga estos sencillos pasos:

Primero: Piensa en el número que vas a multiplicar por 9 (por ejemplo, el 3). Luego resta 1 (nos quedan 2). El resultado es el primer dígito de la respuesta final.

Segundo: Ahora lo único que hay que hacer es preguntarse: «¿Cuánto tengo que sumar a este número para llegar a 9? (en este caso, 7). La respuesta a esta pregunta será el segundo dígito.

Tres: Di la respuesta final: ¡27!

SE NECESITA:
• Sólo tiempo

236

Números romanos

¿Sabe tu hijo escribir con números romanos? Sólo hay unos cuantos signos básicos (I=1, V=5, X=10, L=50, C=100, D=500, M=1.000) y dos reglas: si se coloca un número delante de otro de mayor valor, *se resta* a la segunda letra el valor de la primera; y si se coloca un número detrás de otro de mayor valor se *suma* a la primera letra el valor de la segunda. Pide a tu hijo que eche un vistazo a los siguientes números, y luego prueba con otros que se le ocurran a él. Este sistema requiere un poco de práctica: la gente tiende a confundirse y escribir, por ejemplo, 9 como VIIII, pero, como puedes ver, no existe tal cosa.

1=I	40=XL
2= II	50=L
3=III	77=LXXVII
4=IV	94=XCIV
5=V	100=C
6=VI	1.776=MDCCLXXVI
	(1.000+500+200+50+20+V+I)
7=VII	1.999=MCMXCIX
	(1.000+[1.000-100]
	+[100-10]+[10-1])
8=VIII	
9=IX	
10=X	

Y ahora veamos: ¿Cómo se escribirían en números romanos las cifras siguientes?

300	1.199
99	1.552
1.001	

¿Qué fila tiene más?

Éste es un juego interesante que evalúa la capacidad que tienen los niños para comprender el concepto de cantidad *(véase también actividad 324: Vasos transparentes).*

Coge 16 copos de cereales de desayuno (o 16 objetos pequeños de igual tamaño y forma). Ordénalos en dos filas, ocho en cada una. Asegúrate de alinear los objetos de ambas filas.

¿Es capaz tu hijo de conservar la idea de la cantidad? Pregunta a tu hijo si las dos filas tienen el mismo número de elementos. Cuando responda sí, extiende más la primera fila a lo largo, y vuelve a preguntarle si los dos grupos son iguales, o uno de ellos tiene más. El niño que aún se encuentre en la etapa preconservadora probablemente pensará que la fila extendida tiene más, puesto que es más larga. El conservador se dará cuenta de que la cantidad de elementos sigue siendo igual aunque su relación espacial haya cambiado.

Del mismo modo que en el juego de los vasos transparentes, asegúrate de que tu hijo realmente capta la idea (pregúntale por ejemplo: «¿Pero no es esta fila más larga?»). Al final, tu hijo acabará demostrando que los dos grupos son iguales contando los elementos.

SE NECESITA:
• Cereales de desayuno (16 copos)

MATEMÁTICAS Y NÚMEROS

Suma de letras y números

Este sencillo juego sólo requiere conocer el alfabeto y los números.

Recorta 27 cuadrados pequeños de papel y pide a tus hijos que escriban una letra del alfabeto en cada uno. Ahora coloca los papeles dentro de un sombrero. Pide a tus hijos que los saquen, uno por uno, y escriban los números, por orden, en la parte trasera de los papeles. Imaginemos, por ejemplo, que la primera letra elegida fuese la q: tendría el número 1 escrito en el reverso. Si la segunda letra fuese la a, tendría el número 2 escrito detrás, etc. Ahora apunta las letras con sus valores numéricos en una hoja de papel.

El juego es muy simple; cada jugador debe pensar palabras que contengan la mayor cantidad de letras con la numeración más alta posible. Si a, c, f y o tienen valores de 5, 21, 6, y 9 respectivamente, la palabra «foca» valdrá un total de 41 puntos. Establece un tiempo límite, entrega a cada niño un lápiz y un papel y deja que empiecen a pensar palabras. Cuando expire el tiempo límite, suma los números y proclama al vencedor.

S-I-L-L-A
F-O-C-A

Alfabeto con números

46290146726624171495271441714264
1441714646

¿Podría tu hijo memorizar un número tan largo como éste? Claro que sí. El truco para recordar algo es hallar una manera de dar un significado a aquello que se desea memorizar. Esto lo podemos hacer con cualquier número empleando el siguiente alfabeto:

SE NECESITA:
• Sólo tiempo

DÍGITO	SONIDO	PISTA
1	t, d	la t tiene un palito, se parece a 1
2	n, ñ	la n y la ñ tienen dos palitos
3	m	Si tumbamos el 3 se parece a una m
4	r	r es la penúltima letra de «cuatro»
5	l	En la mitad superior del 5 hay una L tumbada
6	j, g, s	El 6 se curva igual que la j y la g, pero al revés, y seis empieza por s
7	k	El 7 es un número «Klave»
8	f	La f escrita a mano parece un 8
9	p, b	9 y P parecen una misma imagen reflejada en un espejo
0	z	El último dígito se corresponde con la última letra de alfabeto

Todo se basa en el sonido de las letras, no en su escritura, por eso no aparecen todas las letras del alfabeto. Las vocales, la w, la h y la y no cuentan. Esto significa que 951 puede significar «pelota» o «palito», pero «pelota» sólo puede transcribirse como 951. Prueba con algunas palabras; en poco tiempo tu hijo será capaz de reconocer el número de la parte superior de esta página: Érase una vez tres conejos: uno era de color blanco, otro era de color negro, y otro era de color gris.

Capitales del mundo

¿Sabes cuál es la capital de Uruguay? Lo sabrás después de practicar esta actividad. O al menos lo sabrá tu hijo.

Pide a tu hijo que nombre un país cualquiera. Luego trata tú de decir su capital. Ahora le toca el turno a tu hijo. Tú dices un país (no demasiado raro), y compruebas si el niño sabe cuál es su capital.

Por supuesto, tendrás que tener a mano un mapa del mundo o un atlas para verificar la corrección de las respuestas. Una vez dichas las más fáciles, como Gran Bretaña (Londres) o Francia (París), podrás atreverte con otras más difíciles, como República Democrática del Congo (Kinshasa) y Guatemala (Guatemala).

A propósito, la capital de Uruguay es Montevideo... pero tú ya lo sabías ¿verdad?

Otras capitales del mundo: Canberra (Australia); Ottawa (Canadá); La Habana (Cuba); Abidjan (Costa de Marfil); Estocolmo (Suecia).

Concentración

Esta actividad está basada en un antiguo juego de cartas que lleva el mismo nombre u otros similares (como «El memorión»).

En primer lugar, revisa tu archivo de fotografías de revistas *(véase actividad 117: Una cara «para comérsela»)*, y elige una serie de fotos de objetos. Pégalas en una cartulina para reforzarlas, y deja que se seque el pegamento. Corta cada fotografía por la mitad, luego extiende las mitades sobre el suelo o una mesa. Mézclalas, boca abajo, y organízalas formando un cuadrado.

Cada jugador puede dar la vuelta a dos recortes. Si las mitades encajan, el jugador las saca de la zona de juego. De lo contrario, pasa el turno al siguiente jugador. Memorizando dónde se encuentran los trozos (como resultado de los intentos fallidos), los jugadores tendrán la oportunidad de sacar todas las fotos.

Por supuesto, este juego puede practicarse en solitario y, cuando se juega con niños pequeños, el número de mitades debe ser escaso. En el caso de niños mayores, prueba a establecer un tiempo límite, poniendo así a prueba su capacidad de concentración.

SE NECESITA:
- Recortes de revistas
- Cartulina
- Pegamento

Dime qué falta

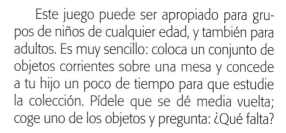

SE NECESITA:

• Pequeños objetos
del hogar o juguetes

Este juego puede ser apropiado para grupos de niños de cualquier edad, y también para adultos. Es muy sencillo: coloca un conjunto de objetos corrientes sobre una mesa y concede a tu hijo un poco de tiempo para que estudie la colección. Pídele que se dé media vuelta; coge uno de los objetos y pregunta: ¿Qué falta?

Resulta muy fácil variar el juego en función de la edad y la capacidad de los niños. Para los jugadores más pequeños, utiliza un número limitado de juguetes muy distintos (tres o cuatro), como muñecos de peluche, u otros objetos. Para que el juego sea más difícil, aumenta el número de objetos, y elige elementos cuya forma y tamaño sean similares. Por ejemplo, la colección podría incluir varias piezas de construcción que difieran sólo en los colores. Quita una pieza y comprueba si tu hijo sabe cuál es el objeto que falta.

También se puede acortar el tiempo que tiene el niño para ver los objetos, o bien el tiempo del que dispone para determinar cuál es el objeto que falta. Otra posibilidad es recolocar los objetos además de eliminar uno de ellos.

Si tus hijos adquieren mucha destreza en este juego, deja que jueguen varias rondas al mismo tiempo.

MEMORIA

Este juego servirá para refrescar la memoria y entretener a niños mayores. Escribe el nombre de todas las provincias de España en trozos de cartulina lo bastante pequeños como para que quepan en un mapa. Ve diciendo en voz alta el nombre de las comunidades autónomas, y di al niño que las busque en el mapa; luego coloca los nombres de las provincias correspondientes a dicha comunidad. Una vez aprendidas todas las comunidades, haz una serie de cartones de bingo con el nombre de las distintas autonomías, y ve extrayendo los nombres de las provincias del montón.

SE NECESITA:

• Cartulina
• Un mapa de España

Andalucía: Huelva, Sevilla, Córdoba, Cádiz, Almería, Jaén, Granada, y Málaga.
Aragón: Huesca, Zaragoza, y Teruel.
Principado de Asturias: Asturias.
Islas Baleares: Islas Baleares.
Canarias: Santa Cruz de Tenerife y Las Palmas.
Cantabria: Cantabria.
Castilla-La Mancha: Guadalajara, Cuenca, Toledo, Ciudad Real y Albacete
Castilla y León: León, Palencia, Burgos, Zamora, Valladolid, Soria, Salamanca, Ávila y Segovia.
Cataluña: Lleida, Barcelona, Girona y Tarragona.
Extremadura: Cáceres y Badajoz.
Galicia: La Coruña, Lugo, Orense y Pontevedra.
La Rioja: La Rioja.
Madrid: Madrid.
Murcia: Murcia.
Navarra: Navarra.
País Vasco: Vizcaya, Guipúzcoa y Álava.
Valencia: Valencia, Alicante, y Castellón.
Ceuta
Melilla

Y ahora sin mirar: ¿Qué provincias componen la comunidad valenciana?

244

El memorión

SE NECESITA:

• Tiempo

Tu hijo y tú podéis memorizar una lista de elementos hacia atrás, hacia delante, o en cualquier orden. El secreto es el siguiente: buscar palabras especiales que nos hagan recordar los números y, por tanto, la secuencia de la lista. Las palabras que presentamos aquí son muy fáciles de recordar; cada una rima con el número que representa.

1. Saturno	4. cuadro	7. vejete
2. tos	5. brinco	8. bizcocho
3. ciprés	6. jerseys	

Supongamos que queremos memorizar esta lista: libro, buzón, caballo, sello, radio, taza, cereales, camisa. Para ello, utilizaremos palabras pegamento que las unirán en nuestra mente con una serie de imágenes, algunas un tanto extrañas (las tuyas funcionarán mejor que las nuestras, pero sigue leyendo).

Piensa en cada una de las imágenes siguientes: Leo un *libro* sobre Saturno. El cartero llegó al *buzón* con mucha tos. El caballo trotó hasta el ciprés. El sello tiene forma de cuadro. De la radio salieron abejas dando un brinco. Los jerseys tenían dibujos de tazas. El vejete tomaba cereales para desayunar. Me manché la camisa con el bizcocho.

¿Cuál era el número cinco? Cinco-brinco-abejas... ¡radio!

¿Qué número era la taza? Taza-jerseys... ¡seis!

A los niños les encanta este juego, y con un poco de práctica, te sorprenderán.

Esta actividad, al igual que la 241: Concentración, la 248: Nemotecnias y la 239: Alfabeto con números, ofrece a tu hijo la oportunidad de agilizar la memoria. Sin embargo, este juego se caracteriza por su originalidad.

Coge una caja de huevos y coloca un objeto en cada cavidad hasta un total de seis. Por ejemplo, en la primera cavidad podría ponerse un clip, en la segunda un coche de juguete, en la tercera una uva, etc. Muestra el contenido a tu hijo, cierra la tapa, y luego coge una segunda caja de huevos vacía.

La misión de tu hijo: encontrar objetos similares a los de la primera caja y colocarlos *en el mismo lugar* en la segunda.

Para aumentar el reto, incrementa el número de elementos, o disminuye el tiempo durante el cual puede memorizarlos, o bien haz que tu hijo compita contra el reloj.

Si tu hijo se hace un experto en este juego, prueba a doblar el número de objetos en *dos cajas de huevos.* ¡Un auténtico desafío!

La prueba del billete

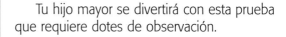

Tu hijo mayor se divertirá con esta prueba que requiere dotes de observación.

Entrega a tu hijo un billete de cinco euros y pídele que lo mire atentamente un momento. Luego pregúntale si puede encontrar los siguientes objetos en el billete:

1) cinco estrellas amarillas;
2) una montaña;
3) la bandera de la Unión Europea;
4) una herradura;
5) un arco iris;
6) una espiral;
7) un triángulo.

A continuación presentamos las respuestas al revés:

1) en la mitad derecha del anverso;
2) en la parte superior de la mitad izquierda del reverso;
3) en la parte superior izquierda del anverso;
4) en la parte inferior izquierda del anverso;
5) en la banda de seguridad de la derecha del anverso;
6) en la zona central del anverso;
7) ésta tiene truco: dobla el billete por la mitad, y luego dobla de nuevo el cuadrado resultante por la mitad: ¡Ahí está!

Esta actividad pondrá a prueba la memoria de tu hijo. Elige un dibujo de un libro de cuentos o de una revista, y pide a tu hijo que lo observe. Luego, mientras sostienes el libro de modo que sólo tú puedas verlo, formula preguntas a tu hijo para comprobar hasta qué punto puede describir el dibujo o fotografía.

SE NECESITA:

• Libros de cuentos o revistas

Adapta las preguntas a la edad y capacidad del niño; en el caso de niños pequeños, haz preguntas sencillas: «¿de qué color es el osito?», «¿hay algún animal en el dibujo?». Aumenta la dificultad con preguntas más complicadas: «¿cuántos animales has visto?», «¿qué están haciendo las personas?». También se puede regular la dificultad variando la cantidad de tiempo del que dispone el niño para observar el dibujo.

En cuanto a los niños más mayores, muéstrales brevemente varios dibujos, todos al mismo tiempo o por orden. Luego pregunta acerca de los detalles de cada dibujo: las personas, el lugar, de qué tratan los dibujos, etc. Ponles alguna trampa para ver cómo reaccionan; por ejemplo, si en uno de los dibujos aparece sólo una casa amarilla, pregunta por la casa blanca. Cuando acabes con las preguntas, muestra el dibujo al niño y coméntalo con él. Como suele decirse, una imagen vale más que mil palabras.

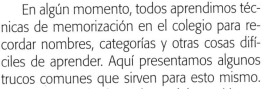

Nemotecnias

En algún momento, todos aprendimos técnicas de memorización en el colegio para recordar nombres, categorías y otras cosas difíciles de aprender. Aquí presentamos algunos trucos comunes que sirven para esto mismo. Para aprender los colores del arco iris podría utilizarse el truco siguiente:

«Rocío **na**dará en el **a**gua **verde-azul**ada el **añ**o que **vi**ene»** serviría para recordar: **ro**jo, **na**ranja, **a**marillo, **verde, azul, añ**il, **vi**oleta.

Para recordar las provincias que constituyen la comunidad de Castilla y León nos ayudaríamos con la siguiente frase: El **se**villano **Pa**blo **Ávila so**nrió para **sal**tar **le**ntamente una **vall**a sin **bue**nos **za**patos: **Se**govia, **Pa**lencia, **Ávila, So**ria, **Sal**amanca, **Le**ón, **Vall**adolid, **Bu**rgos y **Za**mora.

Si tenemos que ir al supermercado a comprar, por ejemplo, **cer**ezas, **co**liflor, **sopa, ca**lamares y jamón **ser**rano, seguro que no se nos olvida nada si pensamos: El **cer**do **co**me la **sopa cal**iente con **ser**villeta.

También se pueden emplear iniciales para recordar palabras. Por ejemplo, para memorizar la palabra inglesa car (coche), se puede recordar «**c**orre **a r**atos».

Anima a tu hijo a inventarse sus propias reglas nemotécnicas para recordar nombres, direcciones y otros datos importantes, como los sabores de los helados de la heladería de la esquina.

MEMORIA

La mayoría de los padres quieren estar seguros de que sus hijos saben su número de teléfono, por si acaso. ¿Por qué no facilitar un poco esta tarea, y hacerla más divertida, ayudando a tu hijo a convertir su número de teléfono en una palabra o frase con el teclado alfanumérico de tu aparato telefónico?

SE NECESITA:

• Sólo tiempo

Tú y tu hijo podéis formar la palabra o frase juntos; es como descifrar un código. Para refrescarte la memoria, ésta es una copia de las combinaciones de números y letras que aparecen en el teléfono.

1: (ninguna letra)	6: MNÑO
2: ABC	7: PQRS
3. DEF	8. TUV
4. GHI	9. WXYZ
5: JKL	0: (ninguna letra)

Seguro que es estupendo tener un número de teléfono tan fácil como LECHERO, pero ¿qué sucede si sólo nos salen palabras como PRLAKADOE? No temas utilizar las mismas técnicas que emplean los publicistas para que se nos queden grabados en la memoria determinados números: mantén el prefijo en forma de números, y luego busca algo como: 91-MASCOTA. ¡Intenta olvidar eso!

MEMORIA

250

¿Qué tengo distinto?

SE NECESITA:

• Sólo tiempo

Este juego puede practicarse casi en cualquier momento y lugar, y pondrá a prueba la capacidad de observación y la memoria de tu hijo.

Pide a tu hijo que te mire durante un momento, luego sal de la habitación y cambia algo de tu aspecto. Vuelve y pregunta al niño qué tiene distinto. En el caso de niños pequeños, procura que sea algo obvio (quítate los zapatos y los calcetines, ponte o quítate un sombrero, colócate la camisa hacia atrás, ponte o quítate una chaqueta, etc. Si se trata de niños mayores, desafíales con algo más difícil.

Si hay un grupo de niños, prueba a establecer un tiempo límite para observarte, tanto en la etapa previa como en la posterior. Da también a los niños la oportunidad de ser ellos los que cambien. ¡Quién sabe lo que descubrirás tú cuando les examines de la cabeza a los pies en busca de algo inusual!

Una variante: cambia la posición de los objetos de la habitación mientras tu hijo tiene los ojos cerrados.

MEMORIA

Sé dónde vivo

Hasta los niños muy pequeños deberían saber su dirección de memoria.

Ayuda a tu hijo a aprender dónde vive convirtiendo vuestra dirección en una poesía o cancioncilla fácil de recordar. Se puede hacer con cualquier dirección; aquí te mostramos unos cuantos ejemplos.

Sé dónde vivimos yo y mi hermano: en el número dieciséis de Alonso Cano.

El número de mi calle es treinta y tres, y el nombre Hernán Cortés.

En el 134 de la calle de los Cedros viven mi familia y mis dos perros.

En la calle de la Oca me gusta vivir; el número 66 me hace reír.

López de Rueda, número cinco, cuarto derecha: ahí es donde vivo.

En la calle Guadiana vive Ana: en el número 28, con Pinocho.

Véase también los consejos para convertir el número de teléfono en una frase fácil de recordar (actividad 249).

252

Una larga lista

SE NECESITA:

• Lápiz
• Papel

Armado sólo de lápiz y papel, tu hijo puede ejercitar la lógica y la imaginación elaborando listas de distintas cosas; lo único que tienes que hacer tú es proponer las distintas categorías de la clasificación (tal vez tengas que actuar de escribano si los niños son muy pequeños).

Aquí van algunas ideas. Pide a tu hijo que busque y diga el nombre de cosas de la casa...

...que estén apiladas encima de otra cosa.
...que sean más pequeñas que una panera.
...que sean más grandes que una panera.
...que hayan sido regaladas a la familia.
...que funcionen con electricidad.
...que toquen el suelo.
...que puedan volver a usarse o reciclarse.

Puedes adaptar la actividad a la edad y las capacidades de tu hijo simplemente cambiando el número de objetos que tienes que buscar. Para los más pequeños bastará con cinco o seis cosas; los mayores serán capaces de encontrar muchas más. Después de un rato, tal vez el niño se atreva a proponer algunas categorías sorprendentes.

A la mayoría de los niños les gusta recibir y mandar cartas. Aquí te enseñamos a establecer un sistema de correspondencia particular.

Primero di a un familiar, o a los padres de un amigo de tu hijo, que te gustaría organizar un sistema de correspondencia. La única norma es ésta: cada una de las partes debe responder en un plazo de cinco días. Si todo el mundo está dispuesto a colaborar, comienza por escribir al dictado lo que te diga tu hijo (a menos que él sepa leer y escribir). La carta, por ejemplo, puede describir algunos sucesos especiales que hayan tenido lugar recientemente, como una visita a un área de juegos, unas vacaciones, algo del colegio, etc. También puede contener información sobre la vida de la familia o de la comunidad.

Di a tu hijo que firme la carta, introdúcela en un sobre, y pon el sello. Camina con tu hijo hasta el buzón de correos y pídele que eche la carta. Cuando llegue la respuesta la semana siguiente, tendréis otra actividad a la espera. También se puede establecer un sistema de correspondencia entre hermanos, o entre padre e hijo. Así te ahorrarás los sellos.

SE NECESITA:
- Papel
- Sobres
- Sellos postales

254

Aventuras a través del atlas

SE NECESITA:

- Un atlas o mapa viejo
- Pinturas de colores o rotuladores

Aunque probablemente tú no confiarías en un mapa o atlas de diez años de antigüedad para tu próximo viaje campo a través, sí podrá servirte para pasar un buen rato sin televisión.

Elige dos puntos en el mapa, por ejemplo, dos ciudades grandes. Luego pide a tu hijo que coja un lápiz de color o rotulador y marca las carreteras rojas que las unen, sin levantar el lápiz del mapa. Dile los nombres de las ciudades y de las comunidades que se van atravesando. Pide a los niños mayores que busquen lo siguiente: la ruta más larga (o más corta) entre ambos puntos; o bien una ruta que no atraviese el agua; o una ruta que se base únicamente en carreteras secundarias (lo que tal vez implique explicarles el código de colores del mapa); o tal vez la ruta que atraviese la mayor cantidad posible de ciudades. Prueba a utilizar la ciudad donde vives como punto de partida, y luego elige una ciudad donde viva algún amigo o pariente como punto de destino. También puedes incluir ciudades que hayas visitado o atravesado durante las vacaciones familiares.

Explica a tu hijo que váis a utilizar el viejo atlas por una buena causa, y que sólo se puede escribir en algunos libros especiales. ¿Cómo, si no, iba a poder viajar desde la Coruña a Cádiz por el precio de un viejo mapa de carreteras sobado?

MADRID

BURGOS

Bingo para niños mayores

Este juego hará las delicias de los niños que tengan cierta habilidad para deletrear palabras. Cada jugador necesita un cartón de bingo, que podrá fabricarse con un trozo de cartulina o papel fuerte. En caso de que sea el niño quien vaya a recortar, ten a mano tijeras sin punta. Trazando líneas, divide los cartones en cuatro o seis cuadrados. Pide a tu hijo que escriba una letra en cada cuadrado (las letras deben elegirse al azar). A continuación, fabrica un surtido de letras escribiéndolas sobre cuadraditos de cartulina. Tú puedes recortar los cuadrados y, con tu hijo, escribir una letra en cada uno (asegúrate de representar todas las letras que se escribieron en las cartulinas). Otra posibilidad es recortar las letras de anuncios publicitarios de revistas y otros artículos, y pegarlas en los cuadraditos.

Una persona introduce las letras dentro de una bolsa, agita ésta y luego va sacando y leyendo las letras en voz alta una por una. Los jugadores marcan sus cuadrados correspondientes con un rotulador. Cuando se llenan todos los cuadrados de una cartulina, el jugador correspondiente dice «bingo», pero además debe inventarse una frase con palabras que comiencen por cada una de las letras en orden sucesivo. A veces salen frases muy extrañas: LBRSCCR puede dar lugar a «Los brontosauros rojos siempre comen cereales rosas».

(Véase también 203. Bingo para niños pequeños).

SE NECESITA:
- Cartulina o papel resistente
- Lápices de colores o rotuladores
- Tijeras sin punta

Carreras de aviones y de otras cosas

 PRECAUCIÓN

Globo

SE NECESITA:

• Globos
• Cuerda, hilo o cinta adhesiva

OPCIONAL:

• Lápices de colores o rotuladores
• Bolsas de papel
• Pajas de beber

Esta actividad no requiere ninguna habilidad: ganar es sólo cuestión de suerte.

Señala metas u otros objetivos en el suelo con trozos de cuerda, de hilo o de cinta adhesiva. Luego infla un globo para cada niño y no lo ates (también se puede jugar con un solo niño). Di «Preparados, listos...¡ya!», y todo el mundo deja volar su globo. El objetivo dependerá del lugar donde se juegue: puede tratarse de que los globos aterricen en una zona determinada o de que crucen la línea de meta.

Para variar, se pueden decorar bolsas de papel de poco peso, inflar los globos dentro, y soltarlos.

Un consejo: *las bolsas deben ser lo más ligeras posible; recorta o rasga todo el papel que no sea necesario para sostener el globo.*

Otra versión del juego consiste en pegar un trozo de pajita, de unos 5 cm de largo, en la bolsa de papel vacía. Pasa un trozo de cuerda de unos 3 m de longitud por la pajita, luego tensa la cuerda entre dos sillas. Tira de la bolsa hacia un extremo, infla el globo dentro de la bolsa (pero no lo ates) y déjalo ir. Haz lo mismo con dos pares de sillas al mismo tiempo y ya lo tienes: ¡una carrera de globos!

Diviértete, pero no te tomes la cosa demasiado en serio; sólo se trata de aire caliente.

Este juego está dirigido sólo a niños mayores. Los niños pequeños no deben jugar con globos debido al peligro de asfixia.

Carreras de canicas

Unas simples canicas pueden proporcionar un interminable entretenimiento para los niños; lo único que hay que hacer es fabricar un circuito de carreras.

El circuito de una carrera de canicas se hace cortando en dos partes, longitudinalmente, varios tubos del interior de los rollos de papel de cocina. Se pueden unir los tubos lateralmente para formar una serie de calles rectas, o conectarlos para formar un laberinto. A continuación presentamos algunas ideas para construir el Gran Prix de las Canicas (no permitas a los niños pequeños participar en esta actividad; podrían considerar que las canicas son un apetitoso bocado).

Pega tubos rectos ligeramente inclinados en una caja de cartón poco profunda, recortando los lados cuanto sea necesario para proporcionar un recorrido continuo. Se puede aumentar la dificultad recortando agujeros, ligeramente mayores que una canica, a lo largo del tubo. En tal caso, el objetivo es que las canicas lleguen al final de la caja sin caer en ningún agujero (aquí es esencial la destreza de cada jugador para inclinar y manipular la caja). Cuantos más agujeros se recorten, mayor será la dificultad.

También se puede probar a recortar y conectar los tubos en ángulo para que el recorrido sea más interesante. Si construyes un laberinto, y levantas por uno de los lados, las canicas de tu hijo correrán como el agua en los acueductos romanos.

 PRECAUCIÓN

Piezas pequeñas

SE NECESITA:
- Tubos del papel de cocina, cortados por la mitad a lo largo
- Canicas
- Pegamento
- Cinta adhesiva
- Una caja poco profunda

258

Código Morse

SE NECESITA:

• Tiempo

OPCIONAL:

• Cucharas
• Linterna
• Tarjetas de cartulina

Una vez que se conoce el código Morse, es posible enviar mensajes secretos golpeando dos cucharas, dando golpecitos a una pared, o incluso con una linterna. Aprender el código es relativamente sencillo: cópialo para tu hijo, y luego repásalo con él letra por letra. También se pueden escribir las letras en tarjetas para memorizarlas mejor. ¿Necesitas ayuda? No te preocupes: da tres golpes cortos, tres largos y tres cortos.

Coleccionar monedas

Tal vez el cerdito-hucha de tu hijo no contenga monedas antiguas de gran valor, pero resulta interesante comenzar una colección básica de monedas.

Las pautas iniciales son muy simples. En el sistema del euro, existen ocho tipos de monedas: de 1, 2, 5, 10, 20 y 50 céntimos, más las de 1 y 2 euros. En una de las caras de las monedas, los motivos son comunes a toda la Comunidad Europea. Sin embargo, en el anverso, cada país miembro ha tenido que elegir un motivo nacional. En el caso de España, las monedas de 1, 2 y 5 céntimos tienen representada la Catedral de Santiago de Compostela; las de 10, 20 y 50 céntimos, Miguel de Cervantes Saavedra; las de 1 y 2 euros, la efigie del rey Juan Carlos I.

El reto está en encontrar monedas de cada valor con fechas distintas de acuñación, tanto de España como de los demás países europeos. Para ello habrá que estar atento a todas las monedas que pasan por casa. Dado que el euro es una moneda reciente (empezó a circular el 1 de enero de 2002), la antigüedad no será mucha, pero tal vez leguemos a nuestros descendientes un tesoro, tratándose de las primeras monedas de euro de la historia.

 PRECAUCIÓN

Piezas pequeñas

SE NECESITA:
• Monedas
• Cartulina
• Cinta adhesiva

Diversión filatélica

SE NECESITA:

- Sobres usados con sellos matasellados
- Un plato con agua
- Papel
- Pegamento o cinta adhesiva

¿Qué es la filatelia? Una complicada manera de decir «coleccionar sellos». Y coleccionar sellos, además ser de uno de los *hobbies* más populares del mundo, es también uno de los más fáciles de empezar, porque casi todo el mundo recibe cartas.

Como es natural, tu hijo probablemente no comenzará con una emisión especial de Mónaco o San Marino, pero tú puedes ayudarle a iniciar la colección con sellos que tú recibas en casa. Di a tu hijo que rasgue la parte del sobre en la que se encuentra el sello, y que la sumerja en agua durante aproximadamente 30 minutos. Transcurrido ese tiempo, el sello se separará fácilmente del papel.

El siguiente paso es colocar los sellos. Puesto que se trata de la colección de un principiante, probablemente bastará con pegarlos con pegamento o cinta adhesiva en hojas de papel. Los coleccionistas más serios preferirán adquirir álbumes especiales para sellos, en los que éstos pueden despegarse fácilmente.

¿Cuántos tipos distintos de sellos puede encontrar, sumergir en agua y colocar tu hijo? *(Véase también, 259: Coleccionar monedas, y 85: Oficina de Correos).*

El alfabeto con las manos

Tal vez pienses que el alfabeto de signos que mostramos a continuación es más interesante para niños mayores, pero nosotros hemos visto utilizarlo a niños de tan sólo cuatro años. Es muy divertido poder decir el nombre con las manos y ser capaz de conversar con otros niños que sepan el alfabeto.

SE NECESITA:

• Sólo tiempo

A B C D

E F G H

I J K L

M N O P

Q R S T

U V W X

Y Z

262

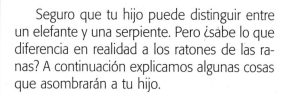

SE NECESITA:

• Sólo tiempo

Seguro que tu hijo puede distinguir entre un elefante y una serpiente. Pero ¿sabe lo que diferencia en realidad a los ratones de las ranas? A continuación explicamos algunas cosas que asombrarán a tu hijo.

Mamíferos: Paren crías vivas, a excepción del ornitorrinco y el equidna, que ponen huevos. Tienen sangre caliente (por lo que su cuerpo se mantiene a la misma temperatura aunque haga mucho frío). Alimentan a sus crías con leche y la mayoría están total o parcialmente cubiertos de pelo.

Reptiles: Son animales de sangre fría (quiere decir que su temperatura corporal es parecida a la del exterior). Tienen la piel seca y por lo general cubierta de escamas. Casi todos viven en tierra (excepto los cocodrilos) y allí ponen los huevos.

Anfibios: Al igual que los reptiles, son de sangre fría, pero comienzan su vida en el agua, y cuando son adultos se hacen terrestres (o bien respiran aire y viven en el agua). Su piel es húmeda y ponen los huevos en el agua sin cáscara.

Recita una lista de animales y comprueba si tu hijo puede clasificarlos fácilmente como mamíferos, reptiles y anfibios. Rápido: ¿una salamandra es un reptil o un anfibio?

ANFIBIOS | REPTILES

La mayor parte de la gente sabe que un grupo de peces se denomina banco y que un conjunto de ovejas es un rebaño. Pero ¿qué hay de otros animales domésticos y salvajes? He aquí una actividad entretenida que enseñará a tu hijo algunos nombres de familias de animales.

SE NECESITA:

• Fotografías o ilustraciones de animales
• Fichas o tarjetas de cartulina

En tarjetas de cartulina, escribe las siguientes palabras: manada, rebaño, enjambre, bandada, piara, jauría, banco, yeguada, hato, recua. A continuación, dibuja o recorta imágenes de revistas de los siguientes animales: pájaro, cerdo, perro, vaca, oveja, pez, abeja, mula, león, caballo. Si tienes tarjetas con imágenes de estos animales, mucho mejor. Cada una de las palabras es el nombre de un grupo de los animales dibujados. Coloca las fichas con las palabras y las imágenes recortadas boca arriba, luego enseña al niño cómo se relacionan entre sí.

A propósito, la solución es la siguiente: manada-león; rebaño-oveja; enjambre-abeja; bandada-pájaro; piara-cerdo; jauría-perro; banco-pez; yeguada-caballo; hato-vaca; recua-mula.

MANADA

264

Guía de viajes del vecindario

¿Cuáles son los principales atractivos de tu vecindario? Tal vez tu hijo tenga algo interesante que decir al respecto. A continuación te enseñamos cómo hacer una guía de viajes basada en lo que tu hijo conoce de su vecindario.

SE NECESITA:

• Papel
• Lápices de colores
  o rotuladores

OPCIONAL:

• Una cámara fotográfica
• Grabadora
• Un cuaderno

En primer lugar, sal de paseo por el barrio; pide a tu hijo que haga de guía turístico, señalando las flores interesantes, los árboles, edificios, tiendas, parques y otras cosas que le gusten. A nuestro hijo le entusiasmaba especialmente una cañería abierta que había sobre una cabina telefónica cerca de casa; en ella se formaban algas cuando llovía, y aprovechábamos estas ocasiones para hablar sobre el crecimiento de las plantas.

Para ofrecer una información fidedigna sobre este tipo de puntos clave puede hacerse lo siguiente: anotar sus descripciones en un cuaderno para hablar sobre ellas posteriormente; ayudar a elaborar un trabajo con fotografías; dibujar un mapa de la zona (o pedir al niño que lo haga); grabar un paseo por el vecindario, o bien recoger muestras (hojas del árbol favorito de tu hijo, una servilleta de la heladería) o ayudar al niño a colocarlas en un cuaderno.

Muestra los resultados a tu familia, a sus amigos o a cualquier persona de las que vivan en vuestra zona. Seguramente les gustará saber qué es lo que hace que su barrio sea diferente.

La duración de los viajes

«¿Cuánto falta?». Seguramente ésta es la frase que más repiten los niños (y temen los adultos) durante los viajes. Con esta actividad tu hijo podrá hacerse una idea de lo que se tarda en llegar de A a B (y estará entretenido sin salir de su habitación).

SE NECESITA:

• Mapas

Coge un mapa de España y elige dos ciudades que conozca tu hijo (al menos de nombre). Utiliza la escala del mapa para determinar la distancia (o bien la clave de distancias del mapa, si es que tiene). Calcula el tiempo que se tardaría en viajar: a pie (6,5 km por hora); en bicicleta (20 km/h); en coche (90 km/h); en tren (150 km/h); en avión a reacción (880 km/h); en avión supersónico (2.240 km/h); y en un cohete espacial (27.500 km/h). Si los niños son pequeños, trata de relacionar el tiempo con puntos de referencia que comprendan fácilmente, como el tiempo que transcurre entre Navidad y su cumpleaños.

Haz lo mismo con ciudades extranjeras; podrías sorprender a tu hijo con datos como cuánto se tardaría en ir andando desde París hasta Roma. En fin, nadie ha dicho que a Roma se llegue en un día.

266

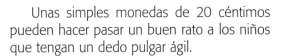
Lanzamiento de monedas

PRECAUCIÓN

Piezas pequeñas

SE NECESITA:

• Monedas de 20 céntimos (u otras)

Unas simples monedas de 20 céntimos pueden hacer pasar un buen rato a los niños que tengan un dedo pulgar ágil.

Se trata de lanzar al aire una moneda y tratar de batir el récord mundial de lanzamiento de monedas. Sin embargo, para que el récord sea válido, existen dos cuestiones a tener en cuenta: la moneda debe dar vueltas en el aire, y ha de atraparse con la palma de la mano antes de que golpee cualquier sitio.

Con sólo dos participantes, este juego puede resultar muy divertido, e incluso tal vez sea conveniente salir fuera de casa, donde los techos no molesten. Tus hijos y tú podréis también lanzaros monedas unos a otros; o bien, por turno, hacer girar una moneda y comprobar cuánto dura girando. Si encuentras una moneda ganadora, compárala con los récords de la familia de la actividad 66: Libro de récords de la familia.

Tal vez esa moneda ganadora no tenga un aspecto distinto a las demás, pero si tus hijos tienen ocasión... no dudarán en quedársela.

Leer los labios

Si tú eres capaz de hablar sin emitir ningún sonido, podrás ayudar a tu hijo a comprender el mundo de los sordos.

Establece un tiempo, por ejemplo cinco minutos, en el que tu hijo pueda hablar normalmente, mientras que tú sólo muevas tus labios en silencio. ¿Conseguís entenderos? ¿Qué palabras o sonidos le resultan más fáciles de comprender a tu hijo? ¿Cuáles le resultan más difíciles?

SE NECESITA:
• Sólo tiempo

Debes poner empeño en *hablar* despacio y en mover la boca exageradamente; así facilitarás las cosas al niño. Si el juego da buen resultado, trata de cambiar los papeles; deja que sea tu hijo quien hable... y tú quien interprete.

Si tu hijo adquiere destreza en esta actividad, podrá practicarla con algún amigo o hermano. Tal vez la casa esté algo más tranquila... un rato.

Pero no dejes que tus hijos aprendan demasiado. Podrían comenzar a traducir las confrontaciones entre el árbitro y el entrenador en los partidos de fútbol retransmitidos por televisión.

¡Lo encontré!

Este juego es muy divertido para dos personas: se trata de hacer explotar una serie de globos imaginarios ocultos.

Coge cuatro hojas de papel y dibuja cuatro cuadrículas de diez por diez cuadrados, y escribe junto a ellas diez letras para las filas verticales, y diez números para las horizontales. Cada jugador tiene dos cuadrículas. Cada una representa un espacio de aire: una es para los globos del jugador y otra para sus intentos de explotar los globos del contrincante.

Antes de empezar el juego, cada jugador sitúa sus globos escribiendo X en varios cuadrados (véase la ilustración). Cada jugador debe emplear: un globo que tenga cinco cuadrados de largo, tres de tres cuadrados y dos de dos (los globos no pueden doblar esquinas ni colocarse en diagonal).

El primer jugador dispara una flecha: A4. El otro debe responder con «explotado» o «fallado» (un disparo de flecha puede explotar cualquier globo). Todos los disparos de un jugador se anotan en su segunda cuadrícula. Los jugadores alternan los disparos hasta que uno de ellos se queda sin globos... hasta la partida siguiente.

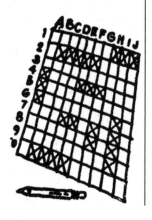

Piedra, papel y tijeras

269

Éste es un juego que durante décadas ha servido para resolver conflictos entre niños. Una vez que tus hijos lo prueben, se harán adictos a este método de apuestas... y tal vez incluso disfruten decidiendo, por ejemplo, a quién le toca el primer turno en un juego, quién se queda con qué, qué ocurre después de algo, etc.

SE NECESITA:

• Tiempo

El juego se basa en las tres posiciones de las manos que muestra la ilustración: papel, tijeras y piedra, respectivamente. Cada posición es superior a una de las otras, e inferior a la que queda. Dicho más claramente, el papel siempre cubre a la roca; la roca siempre estropea las tijeras; las tijeras siempre cortan el papel.

Ahora bien. Supongamos que lo que hay que solucionar es quién sale primero en un juego de mesa. Los dos jugadores cierran los puños, los mueven de arriba abajo dos veces, y a la tercera muestran una de las tres posiciones. ¡Conflicto resuelto! Tal vez quieras probar este sistema en tu trabajo la próxima vez que alguien te pida que hagas algo cuando estés agobiado por las prisas.

Piedra, papel y tijeras también es estupendo cuando se practica simplemente como un juego.

270

¿Qué más sucedió ese día?

Esta actividad requiere un paseo a la hemeroteca, pero valdrá la pena el esfuerzo.

Busca un periódico del día en que nació tu hijo. Averigua cosas como: ¿Quién era entonces el presidente? ¿Qué tiempo hizo ese día? ¿Qué fue lo mejor que sucedió en el mundo ese día? ¿Qué evento parece más acorde con la personalidad del niño?

Los que nacieron en domingo tendrán además los suplementos dominicales con fotografías en color; el resto tendremos que conformarnos con el blanco y negro. Los niños mayores probablemente se encargarán ellos mismos de hojear y leer el periódico; los pequeños tal vez necesiten ayuda para asimilar la idea de que en el mundo sucediesen otras cosas aparte de su nacimiento (un niño que nosotros conocemos preguntó por qué su nacimiento no salía como titular en la primera página. Probablemente tú tendrás una buena explicación para este tipo de preguntas tan lógicas).

Adoptar un árbol

271

La próxima vez que salgas de paseo, anima a tu hijo a que «adopte» un árbol del parque o de cualquier otro lugar público. De este modo se establecerá un vínculo personal entre el niño y su entorno, y también aprenderá a conocer mejor su localidad. Explícale que en realidad nadie es propietario de los árboles, pero que una persona puede hacer el papel de cuidador y amigo especial de un árbol.

¿Cuáles son las responsabilidades del cuidador de árboles? Lo primero, y más importante, es que debe conocer al árbol: frotar la corteza con ceras duras sobre papel en invierno, recoger y presionar hojas en otoño (*véase actividad 291: Prensar hojas),* buscar flores y frutos en primavera y frotar hojas en verano (*véase actividad 280: Frotar una hoja).*

Cuando salga de paseo, todo niño cuidador de árboles deberá llevar una botella de agua para regar el árbol. Los niños mayores también pueden llevar una pequeña libreta para anotar las características del árbol: altura, color de las hojas, época de floración, fragancia, etc. Además, tú podrías enseñar a tu hijo a utilizar una cinta métrica y anotar cuánto mide el contorno en un gráfico.

Por último, fotografía a tu hijo junto al árbol adoptado una o dos veces al año. A medida que tu hijo crezca, el árbol te servirá para recordar el ritmo de crecimiento de todos los residentes de su comunidad: seres humanos y de otras especies.

SE NECESITA:
• Un árbol

OPCIONAL:
• Ceras duras (lápices de colores sin madera)
• Papel
• Cuaderno
• Cinta métrica
• Cámara de fotos

Anatomía de un saltamontes

- Un envase de plástico
- Un saltamontes

Los insectos tienen el cuerpo muy distinto al nuestro; el problema es que son tan pequeños y se mueven con tal rapidez que por lo general no tenemos ocasión de observarlos detenidamente.

Si puedes, atrapa un saltamontes. Introdúcelo en un bote de plástico con una tapa enroscable, y comprueba cuántas partes del cuerpo del insecto es capaz de identificar tu hijo con la ayuda de la lista y el dibujo que presentamos a continuación. Después de terminar con el estudio de anatomía, deja libre a tu invitado en el mismo lugar donde lo capturaste.

Escucha: ¿No has oído a alguien que está frotándose las patas?

cabeza (a)
tórax (b)
abdomen (c)
pata delantera (d)
pata central (e)
pata trasera (f)
ala delantera (g)
ala trasera (h)

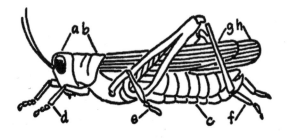

Ángeles en la nieve

¿Recuerdas haber hecho ángeles en la nieve cuando eras pequeño? Aquí presentamos un curso recordatorio, y alguna otra pequeña variación.

Abriga bien a tus hijos, probablemente con ropa especial para la nieve. Diles que se dejen caer en la nieve y que agiten sus brazos hacia arriba y hacia abajo para marcar las alas. Después, diles que abran y cierren las piernas para hacer la túnica del ángel. Ayúdales a levantarse para que las marcas en la nieve permanezcan intactas. Los ángeles resultantes quedarán preciosos en el jardín de tu casa.

Ahora enseña a tu hijo a hacer una araña de nieve. Primero, pide a tu hijo que haga una marca como antes con los brazos y las piernas. Luego que haga una segunda impresión entre las dos primeras. Repetid el proceso con otro grupo de marcas (las arañas tienen ocho patas simétricas pero, si quieres, podéis hacer sólo seis marcas y formar un escarabajo de la nieve).

Si no hace mucho frío, se puede hacer un lote completo de ángeles o bichos. Todo un espectáculo... hasta la próxima nevada.

SE NECESITA:
• Nieve recién caída

274

Brújula de explorador

SE NECESITA:

• Una brújula barata

Si tu hijo conoce los puntos cardinales, disfrutará jugando con una brújula (consigue una barata en un camping o tienda de deportes).

Muestra a tu hijo el modo en que la aguja de la brújula apunta hacia el norte magnético, y enséñale que, girando la brújula de modo que la aguja señale el norte, se sabe donde están las demás direcciones. Una vez que tu hijo haya captado la idea, camina junto a él por la casa, el jardín o el vecindario, comprobando continuamente las direcciones.

A continuación, pide a tu hijo que cierre los ojos. Llévale a otra habitación de la casa, o a otra zona del jardín o del vecindario. Asegúrate de cambiar de dirección muchas veces mientras conduces a tu hijo (y no le sueltes la mano). Dile que abra los ojos y pregúntale si es capaz de utilizar la brújula para averiguar dónde está el norte. Una variación de esta actividad consiste en desafiar al niño primero a que adivine las direcciones y luego comprobar las respuestas con la brújula.

En cualquier caso, siempre es un alivio saber que si en alguna ocasión tú te extravías, tu hijo te indicará la dirección adecuada.

Si en la zona donde tú vives hay algún arce, puedes organizar carreras de semillas voladoras cuando éstas hayan caído al suelo. Si encuentras semillas de la forma adecuada, girarán como hélices de helicóptero cuando las lances al aire.

SE NECESITA:

• Semillas de arce

Después de que tu hijo y tú hayáis recogido un puñado de semillas aerodinámicas, llevadlas a un porche o una terraza (vigilar a los jugadores y espectadores en los lugares elevados).

Éstos son algunos juegos a los que se puede jugar: averiguar qué semillas vuelan a mayor velocidad, cuáles permanecen en el aire más tiempo o menos, cuáles pueden aterrizar cerca de un punto determinado, o cuáles son las que mejor giran.

Procura que el centro de interés sean las semillas, determinando qué formas son las que mejor funcionan, y no qué jugador gana el juego.

Coronas y pulseras del bosque

La calle es un lugar estupendo donde encontrar los materiales necesarios para confeccionar elegantes adornos.

Si deseas fabricar una corona o una guirnalda de hojas, recoge algunas hojas de los árboles (los colores más bonitos son los del otoño). Perfora un orificio en un tallo de una hoja con el tallo de otra, e introdúcelo hasta el fondo. Continúa con este proceso hasta encadenar todas las hojas. Puede hacerse lo mismo con tréboles y flores practicando una hendidura en la base de los tallos e introduciendo los extremos de éstos formando una cadena.

Otro tipo de adorno natural es la pulsera de semillas. Por ejemplo, para hacer una pulsera de semillas de arce, recolecta una buena cantidad de ellas (no te olvides de jugar a hacerlas volar antes), y perfora pequeños orificios al final del tallo. Pasa una cuerda por los agujeros y átala de forma que tenga un tamaño lo bastante grande como para que la mano de tu hijo pueda entrar por ella, pero lo bastante pequeña como para que no se le caiga. Una goma elástica será lo más apropiado.

La próxima vez que salgas de paseo ten cuidado: tal vez estés pisando una auténtica joya.

La mayoría de nosotros, incluso quienes vivimos en las ciudades, estamos rodeados de más vida animal de la que imaginamos. ¿Por qué no animas a tu hijo a realizar un estudio de las ardillas, pájaros y otros miembros del reino animal que habitan cerca de casa?

SE NECESITA:

• Cuaderno
• Bolígrafo o lápiz

A continuación presentamos un extracto del libro de notas del hijo de un amigo nuestro; demuestra que, en lo que respecta al reino animal, hay más vida de lo que parece:

Observaciones de David sobre el reino animal:

Tortugas (una grande y una pequeña)
Rana
Montones de mosquitos
Petirrojo
Zarigüeya
Gaviotas (vistas en la playa durante un paseo con papá)
Ardillas (tres en una semana)
Grillos (oídos)
Lagartija (en una roca cerca de la ventana)
León (avistamiento no confirmado; oído justo después de ir a la cama).

El viejo juego del avión

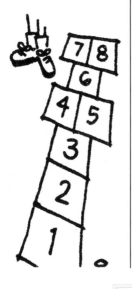

Aun en el caso de que tú fueses un gran entusiasta del juego del avión (también llamado tejo y rayuela) en tu infancia, probablemente hayas olvidado sus reglas. Aquí te las vamos a recordar.

Traza el dibujo del avión en el suelo con una tiza *(véase ilustración);* si estáis dentro de casa, puedes utilizar cinta de carrocero. El primer jugador lanza un señalador al recuadro n.° 1 (sirve una piedra o una bolsita de judías), luego salta a la pata coja por encima de dicho recuadro hasta el recuadro n.° 2, aterrizando sobre un solo pie. (NOTA: *los niños muy pequeños quizá tengan que aterrizar sobre los dos pies).* Luego el jugador salta a la pata coja hasta el recuadro n.° 3, y aterriza con un pie en el recuadro n.° 4 y con el otro en el n.° 5. Después salta de nuevo y aterriza con un pie en el n.° 6, y con otro salto, aterriza con un pie en el n.° 7 y otro en el 8. A continuación, date la vuelta de un salto y, con los pies aún en los recuadros 7 y 8, haz el camino de regreso; al llegar al n.° 2 te agachas a la pata coja para recoger el señalador y luego saltas al 1 y sales fuera.

Si el jugador logra pasar por todos los recuadros, lanza la piedra al n.° 2 y se repite todo el proceso, aunque esta vez tendrá que dar un brinco sobre el 2. Si el marcador no aterriza en el recuadro adecuado, o si el jugador pierde el equilibrio, pasa el turno al siguiente jugador. A partir del n.° 4 está permitido llegar de dos saltos a la casilla correspondiente. Si se falla, se espera al turno siguiente y se empieza por el número en que se ha fallado.

El zorro y el ganso

La nieve es un juguete magnífico: es divertida y además gratis (si no contamos los días de trabajo perdidos y los dolores de espalda). Este juego puede ser un complemento de otros juegos tradicionales con la nieve, como bajar en trineo, hacer muñecos de nieve y otras actividades invernales. Pero lo mejor de todo es que puede practicarse incluso en un jardín pequeño o en una carretera de acceso privada.

SE NECESITA:
• Nieve recién caída

Primero, haz un campo de juego marcando con pisadas un círculo de unos 4 o 5 m de diámetro (en una carretera privada tal vez tenga que ser una elipse). Luego traza entre cuatro y ocho caminos que atraviesen el centro, dividiendo el círculo en porciones.

Todo listo. Una persona hace de zorro y la otra de ganso. El zorro persigue al ganso tratando de pillarlo, pero sólo pueden correr por los caminos pisoteados del círculo. Los caminos que atraviesan el centro son atajos y, por suerte para el ganso, el centro es su casa y allí no lo pueden coger.

Cuando el zorro atrapa al ganso, no se lo come, sino que se convierte en ganso, y el ganso en zorro.

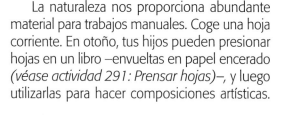

Frotar una hoja

- Papel encerado
- Hojas frescas
- Un pañuelo de papel
  o un papel fino
- Ceras duras

- Una guía de árboles

La naturaleza nos proporciona abundante material para trabajos manuales. Coge una hoja corriente. En otoño, tus hijos pueden presionar hojas en un libro –envueltas en papel encerado *(véase actividad 291: Prensar hojas)*–, y luego utilizarlas para hacer composiciones artísticas.

Pero no es necesario esperar hasta que las hojas cambien de color y caigan al suelo para usarlas en trabajos manuales. Arranca unas cuantas hojas sanas, y colócalas debajo de un pañuelo de papel o de un papel de escribir fino. Luego frota el papel con una cera dura: se marcará la forma de la hoja, su tallo (o peciolo) y las nervaduras.

Frotar hojas es una actividad divertida, pero también sirve para aprender cosas sobre los distintos tipos de árboles. Si tú no distingues un roble o un arce de un *Fagus sylvatica* (haya), tal vez te convenga conseguir una guía de árboles.

También puedes aprovechar esta actividad para enseñar a tu hijo algo sobre la fisiología de las plantas, explicándole que las nervaduras de la hoja, al igual que nuestros vasos sanguíneos, transportan los nutrientes gracias a los cuales vive la planta.

Por último, considera la posibilidad de hacer un álbum de hojas frotadas, recogidas en la zona donde tú vives. Ésta es otra manera de recordar a los niños los lazos que les unen con todo aquello que les rodea.

Esta actividad enseña a hacer un hormiguero con unos cuantos materiales caseros.

Todo lo que se necesita es un recipiente de plástico transparente con la boca amplia, y otro recipiente de plástico o un vaso más pequeño que quepa dentro del primero, de modo que quede un espacio entre ambos de 1 cm o 2; pero ten cuidado: si el espacio es demasiado grande, no podrás ver los túneles.

SE NECESITA:

- Dos botes transparentes
- Tierra
- Hormigas
- Mermelada, cereales
  o dulces para las hormigas

Rellena con tierra la zona comprendida entre los dos recipientes y apelmázala suavemente. Añade hormigas de tu jardín y coloca un trozo de malla encima para que entre aire. Si puede conseguir una hormiga reina –más grande que las demás– alargarás la vida del hormiguero. Cada pocos días introduce un trocito de caramelo, mermelada o cereales dulces. Al cabo de una semana aproximadamente tendrás toda una obra de ingeniería a base de túneles.

Cuando tu hijo termine de observar el hormiguero, dile que libere a sus habitantes devolviéndolos al jardín, su hábitat natural. Ésta es una buena manera de inculcarle el respeto hacia todas las criaturas del planeta.

(Véase también: 282. Hotel de bichos)

282

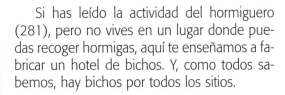

Hotel de bichos

SE NECESITA:

• Una caja pequeña
• Un trocito de tela metálica
• Goma elástica

Si has leído la actividad del hormiguero (281), pero no vives en un lugar donde puedas recoger hormigas, aquí te enseñamos a fabricar un hotel de bichos. Y, como todos sabemos, hay bichos por todos los sitios.

Tu hijo y tú podéis fabricar un hotel para insectos con cualquier caja pequeña, aunque un envase de copos de cereal vacío resultará perfecto. Utiliza una goma elástica para sujetar un trozo de tela metálica en la parte superior, que servirá de ventana y de puerta. También se pueden abrir orificios a modo de ventanas y pegar telas metálicas encima con cinta adhesiva para evitar que salgan los huéspedes. Introduce hojas para los insectos, y luego lleva a tu hijo a cazar bichos con una red o un bote.

Se puede estipular la norma de que los huéspedes permanezcan uno o dos días en el hotel y después sean devueltos a la naturaleza. También convendría explicar al niño que mezclar arañas con otros insectos podría dar a éstas una ventaja injusta.

Dirigir un hotel de bichos hará que tu hijo aprecie más estas pequeñas criaturas del mundo que le rodea. Y si tú tienes *insectofobia* y te gustaría superarla, tal vez sea ésta la manera de conseguirlo.

Huellas de animales

Tus hijos pueden dejar huellas misteriosas en la nieve o el barro de una forma muy sencilla, y luego organizar una expedición para seguir el rastro del animal esquivo.

Se pueden fabricar marcahuellas con todo tipo de materiales de desecho. Las planchas de corcho blanco o de contrachapado funcionan bastante bien. Traza un dibujo sobre papel; dibuja pies palmeados, pies con dedos muy exagerados o garras, pies muy grandes o simplemente tus propios zapatones hechos a la medida. Si quieres ser más original, acude a la biblioteca y consulte una guía de animales. Recorta las huellas dibujadas (recuerda que cortar es una actividad que deben realizar los adultos), luego haz dos tiras con cuero, cuerda o goma elástica. Las tiras se utilizarán para sujetar el marcahuellas al zapato o la bota de tu hijo. Procura que las huellas no sean demasiado grandes o, de lo contrario, el niño no podrá caminar sin peligro de caerse. Por supuesto, tendrás que mantener al niño alejado de los huecos de las escaleras y otros peligros.

Siguiente paso: pasarlo fenomenal fuera de casa. Si hay varios niños, uno de ellos puede ser el que deja las huellas, y los demás los que sigan el rastro.

A propósito, nosotros tenemos una norma acerca de la captura de animales imaginarios: sólo pueden ser atrapados con métodos no violentos, y deben dejarse en libertad tan pronto como sean capturados.

PRECAUCIÓN

Objeto afilado

SE NECESITA:

- Un trozo de madera vieja o corcho blanco
- Algo para atar (por ejemplo, cuerda)
- Instrumentos cortantes (sólo para los adultos)

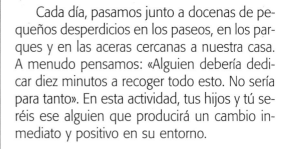

La brigada de la basura

Cada día, pasamos junto a docenas de pequeños desperdicios en los paseos, en los parques y en las aceras cercanas a nuestra casa. A menudo pensamos: «Alguien debería dedicar diez minutos a recoger todo esto. No sería para tanto». En esta actividad, tus hijos y tú seréis ese alguien que producirá un cambio inmediato y positivo en su entorno.

Coge un par de bolsas y cualquier otra cosa que pueda parecerte apropiada para esta labor, y únete a la brigada de la basura. Su primera parada probablemente se producirá justo al salir de la casa. Para quienes vivan en una ciudad, esto significará limpiar las aceras de botellas, periódicos, etc. Los que vivan en áreas suburbanas o rurales, más bien tendrán que dedicarse a recoger latas vacías y envases de comida rápida tirados por automovilistas (por supuesto, tú debe vigilarles atentamente y tener cuidado con el tráfico).

La brigada de la basura funcionará aún mejor si les espera una recompensa al final de la jornada. Ésta podría consistir en visitar un centro de juegos después de asearse... o bien *limpiar* un buen montón de galletas caseras u otras delicias de la cocina.

La historia del barrio

¿Conoces la historia de tu barrio? Si vives en una zona antigua de tu ciudad, esta actividad será muy educativa para tu hijo y para ti, además de entretenida. Coge un cuaderno o una grabadora y visita a algunos de los residentes más antiguos de tu calle o manzana. Propón a tu hijo que les haga preguntas de este estilo:

¿Para qué se usaba este terreno antes de que se construyesen las casas y las tiendas? ¿Había aquí alguna granja, o algún bosque o campo?

¿Qué tiendas había antiguamente en el barrio? ¿Se reunía la gente en ellas para enterarse de los sucesos locales? ¿De qué se hablaba?

¿Cómo se llamaban las familias de la zona? ¿Cómo se llamaban sus hijos? ¿A qué jugaban los niños?

¿Se celebraban eventos importantes, como desfiles, o el Día de San Valentín?

Anota o graba las respuestas mientras tu hijo se encarga de la entrevista; después, ambos podéis pasarlas a un cuaderno permanente. Tal vez quiera también sacar fotos a los entrevistados e incluirlas en el cuaderno. Muéstralo a la gente. Esta actividad es una excusa magnífica para relacionarse con los vecinos.

SE NECESITA:
• Papel y lápiz
• Cuaderno

OPCIONAL:
Grabadora

286

Laboratorio de biodegradación

He aquí una manera muy fácil de comprobar qué materiales se descomponen y cuáles no.

SE NECESITA:

- Hoja de papel
- Lámina de cartulina
- Forro de plástico
- Un trozo de corcho blanco

Reúne cuadrados de 10 cm de lado de los siguientes materiales: papel, cartulina, plástico y corcho blanco. Indica a tu hijo que los *plante* en el exterior, enterrándolos parcialmente en el suelo (unos 5 cm). No apelmaces la tierra. Si no dispones de un jardín o un macizo de flores, se pueden plantar en un cubo de plástico lleno de tierra procedente de cualquier parte del vecindario. (NOTA: *No sirve la tierra para macetas, porque habrá sido esterilizada y probablemente estará libre de las bacterias necesarias para llevar a cabo la biodegradación.*)

Cada pocos días, inspecciona el *laboratorio*. Dependiendo de la temperatura y de las lluvias, los microbios del suelo descompondrán los productos del papel. Pero el plástico y el corcho blanco seguirán intactos durante todo el tiempo que tu hijo se moleste en mirar; de hecho, durante cientos de años.

Aprovecha este experimento para explicar a tu hijo que tenemos que tener mucho cuidado con todo aquello que arrojamos a la basura, y que algunas cosas deberían volver a utilizase en la medida de lo posible.

Mirar las nubes

¿Cuántas veces señala tu hijo algún objeto de uso corriente y ve una cara, un animal, o cualquier otra cosa? Por desgracia, la mayoría de nosotros dejamos de hacer esto cuando nos damos cuenta de que ha llegado el momento de tomarse la vida en serio.

Aquí tenemos una forma de quitarnos la seriedad de encima. Un día que haga buen tiempo, con sol y nubes algodonosas, busca una zona con un trozo césped, arena, o algo similar. Túmbate y comienza a contemplar las nubes.

No existen reglas formales para esta actividad, ni tampoco es necesario que tú des instrucciones. Simplemente, cada uno dice lo que le parece ver. No hagas preguntas del estilo a «¿Ves un perro?». Lo que a uno le parece un perro, a otro le puede parecer una rana. Además, tu hijo podría sentirse frustrado al interpretar que existe una forma correcta, o incorrecta, de ver las cosas.

Mirar las nubes tal vez sea una actividad con pocas reglas, pero desde luego goza de una larga tradición.

(Véase también: 69. Manchas de Colores)

Nuestras tartas de barro favoritas

- Tierra
- Agua
- Cubos
- Pala
- Cacerola

En nuestra casa el verano no empieza oficialmente hasta que nuestro hijo hace su primera tarta de barro. Sus recetas son muy sencillas; tu hijo puede adaptarlas a su gusto. Basta con proporcionarle un cubo o una regadera con agua, una pala pequeña o un palo para remover y un pequeño trozo de su jardín. El resto surgirá de manera natural.

Una vez que la mezcla de tu hijo adquiera la textura deseada, empieza la diversión. Éstas son algunas de las tartas favoritas de nuestra familia:

Tartas de barro clásicas: proporcionar un molde para tartas (cualquier envase desechable servirá). Verter el barro en el molde y dejar secar al sol hasta que la tarta esté lista para servir. Se puede adornar la tarta con piedrecitas, palitos o un puñado de hierba. También se pueden hacer patatas en tacos: vierte una capa fina de barro, y cuando se seque se romperá en trozos de manera natural. ¿Qué tal una lasaña o un pastel de carne? Un menú estupendo para las cálidas noches de verano.

Y si tu hijo no sabe qué servir... bueno, siempre se acierta con una buena hamburguesa y una ración de patatas fritas...

Orientación

A continuación presentamos algunos juegos que enseñarán a tu hijo a distinguir el norte del sur y el este del oeste.

La primera fase te corresponde a ti: tendrás que averiguar la orientación de tu casa, si es que no la sabes ya. Una manera de hacerlo es consultar un mapa de tu localidad; otra consiste en mirar tu sombra al mediodía (a las 12 en punto); en ese momento señala al norte; coloca a tu hijo cara al norte, y luego explícale que el sur está justo en dirección opuesta al norte, y el oeste en dirección opuesta al este. Luego pide al niño que señale las distintas direcciones. Luego cambia los papeles, y falla unos cuantos intentos intencionadamente para asegurarte de que tu hijo ha captado la idea.

Una vez aclarada la idea básica, trata de dar instrucciones de este estilo: «Avanza dos pasos hacia el norte; ahora salta tres veces hacia el este; camina hacia atrás cinco pasos en dirección oeste; ponte de cara al sur», etc. También puedes convertir el juego en una búsqueda del tesoro pintando un mapa que indique pasos y direcciones.

Por último, contempla la puesta de sol con tu hijo y pregúntale en qué dirección se ha marchado el sol. Luego comprueba si es capaz de averiguar en qué dirección sale el sol (no hace falta despertar a la familia a las seis de la mañana).

SE NECESITA:
• Sólo tiempo

OPCIONAL:
• Un mapa de la localidad

290

Patrulla de primavera

SE NECESITA:

• Sólo tiempo

Si al final del invierno tu hijo y tú estáis cansados de permanecer encerrados, la patrulla de primavera podría ser justo lo que necesitáis para preparamos ante la nueva estación.

La patrulla de primavera examina todos los árboles o arbustos del jardín o del parque en busca de las señales que delatan la llegada de la primavera: nuevos brotes. Antes de salir de casa, explica al niño que de esos brotes saldrán las hojas y las flores cuando empiece a hacer calor y los días se alarguen.

Los niños mayores podrían jugar a ser naturalistas, con un cuaderno en el que escribirían sus averiguaciones, y un calendario para anotar el desarrollo de varios tipos de brotes. Una guía de árboles o de plantas locales sería muy útil, además de ahorrarte situaciones embarazosas. Tal vez podrías también llevar una lupa para mostrar a tus hijos los detalles de las hojas y las yemas.

En nuestra familia, la patrulla de primavera se ha convertido en un ritual anual, y nosotros la consideramos esencial para olvidarnos de las nevadas del invierno.

Prensar hojas

Una manera de disfrutar del otoño consiste en prensar distintos tipos de hojas y utilizarlas en trabajos manuales.

Cuando tu hijo y tú salgáis a buscar hojas, debéis elegir las que estén más frescas. Recoge tantas hojas diferentes como puedas (consulta un libro sobre el tema si crees que puede ser útil). También será conveniente llevar algo que sirva para transportar las hojas. Dos trozos de cartón unidos con cinta adhesiva servirán para este cometido.

Nada más volver a casa, introduce las hojas entre varias páginas de periódico. Coloca el periódico entre dos tapas de cartón, y luego pon un libro pesado encima. Las hojas no deben tocarse entre sí en el papel.

Tras una semana aproximadamente, las hojas estarán secas. Tu hijo puede pegarlas en un papel y hacer un resumen de la excursión. Tanto el niño como tú podéis trazar el contorno de las hojas y dibujar las nervaduras. Tal vez os apetezca pegarlas en un trozo de papel doblado; luego tu hijo podría hacer una tarjeta especial para algún amigo o familiar.

SE NECESITA:
- Cartón
- Periódico
- Un libro grande

JUEGOS DE EXTERIOR

Puesto de limonada

Ésta es una actividad veraniega de toda la vida que sin duda hará sonreír a más de un vecino.

SE NECESITA:

- Cajas de cartón
- Papel fuerte
- Rotuladores
- Caja y monedas sueltas
- Agua
- Zumo de limón
- Sal
- Azúcar

Aparte de encontrar un lugar seguro que se pueda vigilar fácilmente, montar un puesto no es nada complicado. Seguramente tendrás unas cuantas cajas de cartón que puedas dedicar a este servicio; puedes hacer un cartel con un papel grande y fuerte y algunos rotuladores. Coloca una caja para el dinero con un euro aproximadamente en monedas pequeñas, y... ¡deja paso!

Tal vez quieras dar a conocer a tus amigos esta receta clásica de limonada (y las instrucciones de preparación):

Ingredientes:

8 tazas de agua
12 cucharadas de zumo de limón
1 cucharadita de sal
$1^{1}/^{2}$ tazas de azúcar

Modo de preparación:

1. Mezclar.
2. Enfriar.
3. Servir sobre hielo.
4. Probar.
5. Sonreír.

Limonada de ANDY
20 Céntimos

Esta actividad conviene practicarla fuera de casa: los silbidos que emiten estos silbatos naturales pueden ser algo estridentes. Probablemente por eso mismo les encantan a los niños.

Busca una brizna de hierba gruesa. Sujétala entre ambos pulgares, dejándola plana y formando una lengüeta (mientras lo haces, las uñas de los pulgares deben permanecer rectas).

Debajo de los nudillos de los pulgares quedará una abertura ovalada por donde habrá que soplar. Da un silbido: te oirán desde varios kilómetros a la redonda.

Un consejo práctico: el error más común al hacer estos silbatos es dejar la hierba floja entre los pulgares. La hierba debe estar bien tensa; prueba a tirar de la parte superior de la hierba pasándola sobre la punta de uno de los pulgares antes de colocar el otro pulgar.

¡Inténtalo! Cualquiera puede hacerlo.

SE NECESITA:
- Una brizna de hierba recién cortada

Sombras

Ésta es una buena manera de divertirse al sol de una manera poco usual.

SE NECESITA:
• Hojas de papel grandes
• Un lápiz o cera dura

Busca unas cuantas hojas de papel que, una vez pegadas con cinta adhesiva, tengan una longitud aproximada de tres veces la altura de tu hijo. Una mañana soleada, saca las hojas de papel al exterior y colócalas en el suelo con algo pesado en las esquinas. Asegúrate de que el papel esté alineado con el eje Este-Oeste, luego di a tu hijo que se coloque en el centro, pero en el borde del papel. Dibuja el contorno de sus huellas en el papel (para señalar su posición), luego dibuja el perfil de su sombra. A diferentes horas del día, di a tu hijo que vuelva a colocarse sobre sus huellas, y dibuja de nuevo su sombra.

Comenta con tu hijo lo que le ocurre a su sombra: cómo se acorta, se alarga, y se desplaza en círculo alrededor del papel debido al cambio de posición del sol.

Esta actividad podría ampliarse de la siguiente manera: hacer un reloj de sol humano marcando las horas en los puntos adecuados del dibujo. Lo mejor de todo es que a este reloj no hay que darle cuerda.

Como hemos podido comprobar en otras partes de este libro, la naturaleza es la mejor fuente de materiales para trabajos manuales. En esta actividad habrá que recoger objetos naturales para fabricar un juguete móvil.

Pide a tu hijo que busque piñas, bellotas, cáscaras de semillas grandes, palitos interesantes o, si vives cerca de la playa, madera de deriva o conchas pequeñas. Cualquier cosa que no se pudra servirá para nuestro móvil. Busca también varias ramitas pequeñas, pero resistentes, para colocar unas varillas.

Después de la búsqueda, clasifica todo lo recogido sobre una mesa y prueba distintas disposiciones para formar el juguete móvil. Los objetos pueden pender de una rama o de varias ramitas pequeñas (como en la ilustración). En cualquier caso, deja que sean tus hijos quienes organicen las piezas; si parece que el móvil va a tener problemas de equilibrio, sugiere otra disposición.

Una vez finalizada la composición, ata los objetos a trozos de cuerda siempre que sea posible; de lo contrario, utiliza cola blanca no tóxica. Deja secar la cola toda la noche antes de sujetar las cuerdas en las ramas. Si estás fabricando un móvil con varios niveles y varias ramas distintas, tal vez prefieras utilizar hilo de pescar, pero encárgate tú de esta tarea, ya que el hilo de pescar no debe ser manejado por los niños.

SE NECESITA:
- Bellotas, piñas y otros objetos naturales
- Cuerda
- Pegamento

296

Un paseo por el barrio (o ¿de aquí a dónde?)

Ésta es una actividad estupenda cuando se dispone de un poco de tiempo y hace bueno.

Tal vez hayas paseado muchas veces por tu barrio, pero seguro que nunca del mismo modo que te proponemos aquí: tus hijos y tú salís por la puerta de casa; uno coge una moneda y la echa a cara o cruz. Si sale cara, empezáis el paseo hacia la izquierda; si sale cruz, hacia la derecha.

Esa sensación de «¿dónde diablos vamos a terminar?» es muy divertida y, siempre y cuando tú acompañes a tus hijos, nadie se perderá. ¿O sí?

Al menos no pierdas la moneda.

Adivina el objeto

Este juego sin duda va a intrigar a niños de todas las edades. Reúne cuatro o cinco objetos (más si se trata de niños mayores) que sean de distintos materiales. Por ejemplo, algo de plástico duro (como una pelota de ping pong), algo de madera (un cubo de construcción), algo de metal (un coche de juguete), algo blando (un animal de peluche) y, por último, algo de cartón (una caja pequeña).

SE NECESITA:

- Objetos corrientes de distintos materiales
- Un envase de plástico opaco con tapa

Muestra los objetos a tu hijo, y deja que los toque y los examine. Luego dile que se dé la vuelta. Coloca uno de los objetos en un envase de plástico opaco con tapa; aparta de la vista el resto de los objetos. Asegúrate de que el objeto del envase tiene bastante sitio para moverse sin dificultad. Luego indica al niño que agite el envase haciendo sonar el objeto. Dile que trate de adivinar el objeto por el sonido.

Una vez que los niños adquieran destreza en este juego, se puede probar a colocar más de un objeto a la vez dentro del envase, o cronometrar el tiempo, compitiendo contra el reloj, para identificar el objeto.

Una de las ventajas que tiene esta actividad es que nunca se acaban los objetos con los que se puede jugar; sirve cualquier cosa que tenga el tamaño apropiado.

298

Brotes

SE NECESITA:

- Judías, lentejas o soja
- Un envase de plástico
- Tela metálica o estopilla
- Goma elástica

Incluso si tú no acostumbras a comer brotes germinados (de soja, por ejemplo), seguro que tus hijos disfrutarían haciendo brotar judías o lentejas. Es fácil y requiere menos paciencia de lo que parece.

En primer lugar, compra judías, lentejas o soja sin germinar. Lávalas con agua en un colador grande. Coloca las semillas en un envase de plástico. Llénalo con agua ligeramente templada hasta una altura unas cuatro veces superior a la de las semillas. Después coloca un trozo de estopilla o tela metálica en la boca del envase y sujétala con una goma elástica. Deja reposar las semillas entre ocho y doce horas, luego escurre el agua.

Apoya el bote en posición inclinada, con la tela metálica hacia abajo, en un lugar oscuro. Para facilitar el drenaje, enjuaga las semillas tres o cuatro veces al día con agua fría. Cuando los brotes adquieran una longitud deseable (tardarán un par de días) sácalos y sírvelos... o simplemente obsérvalos crecer.

¿Qué hacer con esos latosos vasos de papel usados? No los tires: lávalos, guárdalos y sácalos un día de lluvia para organizar el campeonato mundial de torres de vasos.

Apilar naipes puede ser divertido para algunos, pero apilar vasos es todavía mejor cuando se trata de mantener ocupadas las manos y la atención de los pequeños. Este juego es muy divertido si participan dos o más personas, aunque también puede ser una diversión excelente en solitario.

Tu hijo y tú, por turnos, podéis colocar los vasos uno encima de otro con mucho cuidado. Si a tu hijo le entra un repentino deseo de apoderarse del vaso inferior, no pasa nada.

¿Qué altura se puede conseguir antes de que todos los vasos se vengan abajo? ¿Cuántos vasos se necesitan para construir una reproducción aceptable de la Torre de Londres? ¿Eres capaz de apilar distintos tipos de vasos sin iniciar una avalancha? Sólo el tiempo, la paciencia y la mesa lo dirán.

SE NECESITA:

• Vasos de papel usados (y lavados)

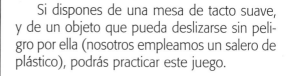

Colón

Si dispones de una mesa de tacto suave, y de un objeto que pueda deslizarse sin peligro por ella (nosotros empleamos un salero de plástico), podrás practicar este juego.

- Una mesa resbaladiza
- Salero

Dos jugadores se sientan en extremos opuestos de la mesa; uno lanza el salero hacia el otro, deslizándolo sobre la mesa. El objeto debe acercarse lo más posible al borde *sin salirse.* Explica a los niños que, antiguamente, los exploradores tenían miedo de sobrepasar el límite del mundo, hasta que llegó Colón.

Si deseas jugar a puntos, dos lanzamientos pueden equivaler a una partida, pero nosotros pensamos que lo divertido de esta actividad no consiste en ganar o perder. Lo bueno viene cuando se lanza el salero, parece que se va a salir de la mesa y... se para justo antes de caer.

Un consejo: *Tal vez sea conveniente colocar una manta o material acolchado sobre el suelo debajo de cada jugador.*

Una vez comenzada esta actividad, descubrirás que hace falta mucha fuerza de voluntad para dejar de jugar.

MATERIALES DE RECICLAJE DEL HOGAR

Cubos de construcción gigantes

301

Para esta actividad se necesita un sitio amplio para guardar los cubos. Pero cuando compruebes lo mucho que disfruta tu hijo construyendo estructuras de tamaño real con cubos de construcción, tal vez te plantees la posibilidad de deshacerte de algún mueble o... mudarte a una casa más grande.

SE NECESITA:
- Cartones de distintos tipos
- Materiales para decorar

Comienza a reunir cajas de cartón procedentes de las tiendas, de mercancías que recibas por correo, o de regalos. El tamaño ideal es el de 30 cm cúbicos como mínimo. Por supuesto siempre puedes comprar cajas de embalar en una papelería o almacén de material de oficina. De ese modo, tendrás cubos de tamaño similar, pero no contribuirás a reciclar las innumerables cajas de cartón que pasan por casi todas las casas.

Pega las tapas de las cajas con cinta adhesiva, luego deja libertad a tu hijo para utilizar rotuladores, lápices de colores, papel usado o de envolver, o cualquier cosa con la que puedas transformar las cajas en cubos de construcción infantiles. Una vez finalizada la decoración, anima a tu hijo a construir muros, torres, casas (se puede utilizar un cartón grande para el tejado), túneles y otras estructuras lo bastante grandes como para meterse dentro (pero no subirse encima).

Un consejo: *deja unas cuantas cajas abiertas por un lado. De este modo podrán servir para guardar cajas más pequeñas y juguetes, y así tal vez no tengas que vender el sofá después de todo.*

MATERIALES DE RECICLAJE DEL HOGAR

302

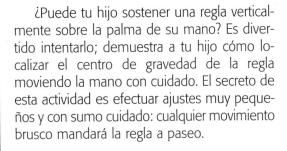

Cuestión de equilibrio

SE NECESITA:

• Una regla

¿Puede tu hijo sostener una regla verticalmente sobre la palma de su mano? Es divertido intentarlo; demuestra a tu hijo cómo localizar el centro de gravedad de la regla moviendo la mano con cuidado. El secreto de esta actividad es efectuar ajustes muy pequeños y con sumo cuidado: cualquier movimiento brusco mandará la regla a paseo.

Pensándolo bien, no es mala idea. Cuando le toque el turno a tu hijo, despeja un sitio que no sea peligroso y déjale que se mueva como desee. Tras la prueba de la regla, se puede probar con objetos más difíciles, pero no dejes de vigilar de cerca esta actividad.

Este juego es un ejercicio estupendo de coordinación mano-ojo. Quién sabe si éste será el principio de una carrera de malabarista.

(Véase también: 324. Vasos transparentes; 237. ¿Qué fila tiene más?)

Dados gigantes

¿Buscas un juego de azar educativo y que sea legal? Aquí lo tenemos.

Mide y recorta con cuidado la parte inferior de dos cajas de leche de litro y medio (a unos 10 cm de la base). Haz un corte en cada esquina de una de las cajas, hasta una altura de unos 2 cm de la base, y encájala dentro de la otra caja de leche. De este modo conseguirás un cubo de cartón. Forra el cubo con papel blanco, estíralo bien y pega el forro con cinta adhesiva. Haz un segundo cubo de la misma manera.

A continuación, decora las seis caras del cubo con figuras, animales, dibujos, letras, números o palabras. Decora el segundo cubo de manera idéntica. Ya tienes un par de dados gigantes. Invéntate juegos, como por ejemplo ver si al adversario le sale la misma cara del dado que a ti cuando lo lanza. O bien, si se quiere trabajar con números, contar cuántas veces tarda en salir un sombrero verde, un barco, un perro, etc.

Si el niño es mayor, se puede jugar a que cada uno lanza un dado con números, y el niño suma o multiplica las cifras. Por último, si se están utilizando letras, el objetivo del juego podría ser pensar en un nombre con las dos iniciales que salgan en el lanzamiento. A propósito, siempre se puede utilizar la parte superior de las cajas de cartón para la actividad 24 (Ciudad con cajas); por ejemplo, para hacer la maqueta de un casino.

SE NECESITA:

- Cuatro cajas de leche (o dos cajas de galletas en forma de cubo)
- Papel
- Lápices de colores o rotuladores

El banco de los niños

• Dinero de juguete

• Monedas de papel
  (o fichas de plástico
  grandes)
• Lápices de colores
• Cuaderno

Muchos niños creen que el banco es un lugar al que puede acudir cualquiera para sacar gratis la cantidad de dinero que necesite. ¡Ojalá fuese tan sencillo!

Tal vez a tus hijos les guste jugar a los banqueros en el banco del salón. Además, jugando aprenderán a contar dinero. Lo único que se necesita para tener una ventanilla de banco (o un cajero automático) es una silla con el respaldo abierto, aunque siempre se puede fabricar algo más elaborado con una caja de cartón. Por supuesto, tendrás que reunir dinero de juguete, a menos que tengas un Monopoli. Los cupones de regalo también sirven; *véase también la actividad 60: Jugar con dinero.* Por lo general, no es difícil conseguir gratuitamente un talonario extra de un banco, y siempre se pueden utilizar billetes hechos en casa con papel. Y para los clientes que tengan cuentas de ahorros, cualquier cuaderno servirá.

Por último, consigue algunas *monedas* (puedes hacerlas con papel o utilizar fichas de plástico de algún juego de mesa; pero que sean lo bastante grandes como para que no representen ningún peligro)

Únete a la diversión: abre una cuenta corriente. Pero no esperes un trato de favor; el Banco de los niños tiene muchos clientes.

MATERIALES DE RECICLAJE DEL HOGAR

¿Vives en una zona en la que hay que pagar por los cascos de las bebidas? Si es así, tu hijo puede utilizar el dinero que cuestan los cascos como parte de un proyecto de larga duración con el que aprenderá a hacer uso de los recursos y a ayudar a los demás.

Nombra a tu hijo «guardián de las botellas», y pídele que elija una organización benéfica o un grupo de la comunidad que pueda beneficiarse de un donativo familiar (si el niño es muy pequeño tal vez tengas que ayudarle a elegir una organización). La tarea de tu hijo consistirá en buscar un lugar seguro para guardar las cajas, mantenerlas limpias y ordenadas, y llevar la cuenta de la cantidad total de dinero que tu familia estará guardando como pago. Tras una o dos semanas, acompaña al niño a la entidad bancaria donde vaya a realizar el ingreso para la organización benéfica, y ayúdale a hacer el trámite. Si la organización elegida está cerca, tal vez sea posible entregar el donativo en persona; desde luego será mucho más satisfactorio.

SE NECESITA:
- Cajas para guardar bebidas
- Un espacio de almacenamiento sin peligro
- Lápiz
- Papel

306

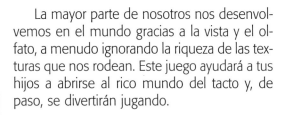
En la bolsa

SE NECESITA:
• Una bolsa de papel
• Objetos de la casa

La mayor parte de nosotros nos desenvolvemos en el mundo gracias a la vista y el olfato, a menudo ignorando la riqueza de las texturas que nos rodean. Este juego ayudará a tus hijos a abrirse al rico mundo del tacto y, de paso, se divertirán jugando.

Coloca una serie de objetos corrientes en el interior de una bolsa de papel. Puede tratarse de juguetes o animales de peluche preferidos por el niño, de objetos del hogar como esponjas o utensilios de cocina, de alimentos como tallos de apio, zanahorias, pepinos, etc. Luego pide a tu hijo que introduzca la mano dentro de la bolsa sin mirar y trate de identificar los objetos por el tacto. Dale pistas, si es necesario, y elige los objetos a identificar en función de la experiencia y capacidad de tu hijo.

Una manera de aumentar la dificultad del juego consiste en pedir a los niños que identifiquen objetos cuyo tacto sea similar. Por ejemplo, muéstrales varios coches de juguete (o muñecos, piezas de construcción, llaves...) que tengan aproximadamente el mismo tamaño y forma, y luego introdúcelos en la bolsa. Pide a los niños que identifiquen los distintos objetos sólo por el tacto. Tal vez demuestren que, verdaderamente, la mano puede ser más rápida que el ojo.

Huele las rosas

¿Es capaz tu hijo de arreglárselas por el mundo sólo con su nariz? Averígualo.

Coge cuatro o cinco platos de plástico y añade varios alimentos con aromas muy característicos. Por ejemplo, espolvorea canela en un plato, coloca un poco de café en otro y unos cuantos dientes de ajo machacados en un tercero.

Deja que tu hijo se familiarice con cada plato, luego dile que cierre los ojos. Acércale los platos uno por uno y averigua si tu hijo es capaz de saber qué es cada cosa.

Después de unas cuantas rondas, se puede aumentar el desafío de muy distintas maneras. Primero, añade otras especias similares para que tu hijo las distinga, como orégano y nuez moscada. O combina algunos alimentos para componer un aroma poco usual, por ejemplo, cacao, miel y ketchup. Comprueba si tu hijo puede detectar todos los ingredientes que has añadido a la mezcla.

Por último, ponle una trampa –un plato vacío– y pregúntale qué hay en él. Probablemente obtendrás algunas respuestas un tanto disparatadas.

308

Huellas digitales

Esta actividad asombrará a tu hijo... y posiblemente revelará quién ha puesto las manos en el bote de las galletas.

SE NECESITA:

- Un tampón de estampar lavable o un lápiz
- Papel/cuaderno
- Cinta adhesiva (no es necesaria si se utiliza el tampón de estampar)
- Harina de maíz

OPCIONAL:

- Una lupa

En primer lugar explica al niño que todos tenemos huellas distintas (incluso los gemelos). Luego di a tu hijo que tome las huellas de toda la familia. Puedes utilizar un tampón de estampar lavable, o coger un lápiz y frotar con él una hoja de papel. Enseña a tu hijo cómo debe coger el dedo de un *sospechoso* y hacerlo girar suavemente sobre el tampón. Luego dile que coloque el dedo sobre una hoja de papel, haciéndolo girar del mismo modo. Esto hará que deje una huella visible. Si utilizas el método del lápiz, tendrás que pegar cinta adhesiva sobre la huella, o de lo contrario el grafito se borrará o correrá. Escribe el nombre del propietario de cada huella.

A continuación, enséñale a rociar varios objetos con harina y un pequeño pincel. Las mejores huellas son las que quedan en superficies duras y brillantes. Sopla la harina sobrante (lejos de la cara de tu hijo), y ¡ya lo tienes! Verás las huellas de la persona que ha tocado el objeto. Trata de compararlas con las de los miembros de la familia. Una lupa facilitará la tarea.

¡Pero bueno! ¿No son tus huellas las que están en el bote de las galletas?

Husos horarios

Para un niño, la idea de que algunas personas se levanten de la cama cuando otras se acuestan es algo inaudito. Aprovecha esta fascinación para jugar a los husos horarios. Primero, busca un mapa del mundo, un atlas o un globo terráqueo. Luego pide a tu hijo que elabore una lista de todas las actividades que desarrolla normalmente durante el día, como levantarse, desayunar, ir al colegio, comer, volver a casa, cenar, acostarse y dormir. Escribe cada actividad en un trozo de papel de un color, coordinándolas según la hora (por ejemplo, el amarillo podría representar todas las actividades de la mañana, el verde las de la tarde y el morado las de la noche).

Señala distintos países en el mapa, y di al niño lo que estaría haciendo allí la gente en ese momento; tu hijo entonces tendrá que colocar el trozo de papel del color correspondiente. Utilizando el horario oficial español como referencia, Londres tiene una hora menos; Honolulú, 11 horas menos; Tokio, 8 horas más; Melbourne, Australia, 9 horas más; Moscú, 2 horas más; Addis Abeba, Etiopía, 2 horas más (si se prefiere, se puede hacer referencia al modelo científico en el que se basan los husos horarios, en cuyo caso, la península ibérica se encontraría en el huso horario cero).

Tu hijo querrá saber cómo es posible esto. En una habitación a oscuras, coge una pelota y una linterna y explícale que el sol sólo ilumina una parte de la Tierra en cada momento. A medida que la Tierra gira, se producen las noches y los días.

Lanzamiento con bidón

- Dos o más bidones de plástico vacíos con asa, (de unos 5 l)
- Pelotas pequeñas o bolsas de judías
- Algo para cortar (para uso de adultos)

Si buscas un nuevo deporte, sólo tienes que abrir tu despensa. Si tienes dos bidones de plástico, por ejemplo de los de agua mineral, estás de suerte.

La primera parte de esta actividad corresponde a los adultos: corta los bidones por la mitad horizontalmente. Ten cuidado: puede ser peligroso. Asegúrate de que no quede ningún saliente cortante. Cuando termines, utilizarás las partes superiores como guantes de béisbol (aprovecha las inferiores para guardar cosas pequeñas como juguetes, piezas de construcciones, mecanos, etc.).

El juego consiste simplemente en lanzar una pelota a tu compañero, el cual la atrapará con el bidón y la lanzará otra vez sin tocarla con las manos. Tú harás lo mismo. En el caso de niños pequeños, será más apropiado utilizar una pelota grande y blanda (que bote poco) o una bolsa llena de judías. Los mayores, con más fuerza y coordinación, preferirán una pelota de tenis. Se puede incrementar la dificultad aumentando la distancia entre los jugadores o bien aumentando el número de participantes.

Ya lo ves, siempre se ha dicho que el agua es una bebida muy sana...

Sin duda tu hijo habrá visto muchas imágenes de plantas que no se encuentran en el jardín de tu casa. ¿Dónde crecen? Aquí te diremos cómo averiguarlo.

Consigue un mapa de España y fotografías o dibujos de diferentes plantas y árboles. Una revista de viajes podría servir para empezar, aunque los anuncios de las revistas corrientes suelen estar llenos de buenas fotografías. Imaginemos que encuentras una fotografía de campos de trigo; recorta una parte de la fotografía y colócala en el centro de la península. Busca un cactus; recórtalo y colócalo en Almería. Si encuentras un ramo de uvas, por ejemplo, colócalo en la zona de La Rioja o de la cuenca del Duero, etc. También se puede hacer lo mismo con un mapa internacional.

Además de señalar el lugar donde crece cada planta, tú podrías hablar sobre las cualidades de las distintas plantas, de sus frutos y de sus hojas; habla sobre las púas del cactus, o del dulzor de las uvas.

Por supuesto, cuanto más sepas tú, mejor lo pasará tu hijo. No estaría de más realizar una visita a la biblioteca o librería más cercana.

SE NECESITA:
- Un mapa o un atlas
- Fotos de plantas

Material pesado

SE NECESITA:

- Un tubo de cartón de los que vienen dentro de los rollos de papel de regalo
- Una percha de alambre
- Cuerda
- Plastilina
- Cestillos pequeños de papel o plástico

¿Tu hijo es de los que creen que un kilo de ladrillos pesa más que un kilo de plumas? Esta actividad puede ayudarle a comprender el mundo.

Fabrica una balanza colocando un tubo de cartón sobre los asientos de dos sillas. Deja unos 60 cm entre ambas. Pon libros encima de los extremos del tubo para evitar que éste se mueva. Cuelga una percha del tubo, y ata un trozo de cuerda, de la misma longitud, en cada extremo de la base de la percha. Coloca un trozo de cinta adhesiva sobre cada cuerda para evitar que se muevan. Luego, ata unos cestillos de plástico (como los que a veces vienen llenos de frutas pequeñas) o de papel a las cuerdas. Coloca trocitos de plastilina en la percha o en los cestillos para nivelar la *balanza*.

Pide a tu hijo que reúna cosas distintas cuyo peso pueda compararse en la balanza, por ejemplo, un animal de plástico y una bolsa llena de tiras de papel. O dos camiones de juguete, que tengan aproximadamente el mismo tamaño, uno de madera y otro de metal. Explícale que el objeto más pesado hace que la balanza descienda más que el objeto ligero, y que dos objetos que pesan lo mismo equilibran la balanza. Son cosas de la naturaleza.

MATERIALES DE RECICLAJE DEL HOGAR

Tocar una hoja

Muchas de las cosas que nos rodean se parecen entre sí, pero tienen sutiles diferencias. Por ejemplo, las hojas: para un niño (y para muchos adultos), vista una hoja, vistas todas. Esta actividad echa por tierra este mito para siempre.

SE NECESITA:
• Hojas recién cogidas
• Dos bolsas grandes de papel

Planea una expedición al jardín o al parque y lleva contigo dos bolsas grandes de papel. Recoge una media docena de hojas distintas y mételas en las bolsas. Coge ejemplares que sean muy distintos. Trata de encontrar algunas hojas que sean suaves y aterciopeladas, otras que tengan lóbulos o *dedos,* otras con el tallo largo, otras *compuestas* (formadas por hojas pequeñitas), etc.

Coge dos de cada tipo, de modo que cada una de las bolsas tenga un lote de hojas idéntico al de la otra. Pide a tu hijo que introduzca la mano en una bolsa y saque una hoja, y que luego busque en la segunda bolsa el ejemplar igual al primero.

Explícale cómo se pueden distinguir las hojas: ¿En qué se diferencia su forma? ¿Y su textura? Cuando termine el juego, tal vez tu hijo y tú veáis el mundo de otra manera, y tú habrás pasado una hoja (es decir, una página) de su vida.

Una casa de naipes

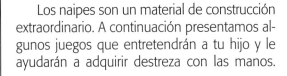

Los naipes son un material de construcción extraordinario. A continuación presentamos algunos juegos que entretendrán a tu hijo y le ayudarán a adquirir destreza con las manos.

Comienza con algunas formas básicas. Una tienda de campaña es muy fácil de hacer, y puede convertirse en un cuadrado apoyando cartas contra los extremos abiertos, ligeramente inclinadas, y colocando otras dos cartas en los extremos de las dos nuevas cartas *(véase ilustración)*.

Tu hijo en seguida se dará cuenta de la delicadeza con la que hay que colocar las cartas, y de lo fácilmente que puede derrumbarse una casa de naipes. No respires con mucha fuerza: ¡podrías arruinar el trabajo de toda una tarde!

Una vez que tu hijo domine la arquitectura de los naipes, sugiérele que construya un edifico con varias plantas. Otros desafíos podrían ser un pasillo de cartas o un puente.

Si prefieres una versión más simple de esta actividad para niños más pequeños, *véase la actividad 118, Una casa fácil de construir.*

Una cuchara en la nariz

¿Pueden tus hijos colgarse una cuchara de la nariz? ¿Y tú?

Te garantizamos que, aunque ésta no parezca una buena manera de pasar media hora divertida, realmente lo es. Coge una cuchara normal y sopla suavemente en la parte cóncava, de modo que se forme un poco de vaho. Frota la cuchara con un trapo o toalla hasta que esté reluciente, luego inclina la cabeza ligeramente hacia atrás y coloca el hueco de la cuchara en la punta de la nariz.

Tal vez necesites unos cuantos intentos, pero al final acabarás aprendiendo a inclinar, colocar y equilibrar la cuchara de tal modo que cuelgue de la punta de tu nariz. Resulta muy gracioso ver cómo un padre pierde los papeles de esta manera; la mayoría de los niños no podrán resistirse a intentarlo.

SE NECESITA:

• Cuchara

MATERIALES DE RECICLAJE DEL HOGAR

Canción del corazón

• Sólo tiempo

A los niños les gusta saber cómo funciona nuestro cuerpo por dentro, y tomar el pulso es una forma fácil de hacerles pensar acerca del aparato circulatorio.

En primer lugar, explica a tu hijo que el corazón es como una máquina de bombeo. Si no dispones de un estetoscopio, pídele que coloque la oreja sobre tu pecho y escuche el *toc-toc* del corazón. Luego, explícale que el aparato circulatorio funciona como un grupo de muchas mangueras que llevan la sangre del corazón a los pulmones y a todas partes de cuerpo, y luego vuelven al corazón.

Enseña a tu hijo a tomarse el pulso en la muñeca o en el cuello. Demuestra de qué modo algunas actividades hacen que el corazón funcione más rápidamente o más despacio, como por ejemplo correr, saltar, tumbarse en el suelo y respirar profundamente, etc. Los niños pequeños apreciarán sus pulsaciones simplemente moviéndose más rápidamente o más lentamente; en el caso de los niños mayores, comprueba el reloj, di cuándo deben empezar y acabar, y déjales contar las pulsaciones (tú puedes encargarte de multiplicar para determinar la velocidad de las pulsaciones).

Tal vez prefieras reservar esta actividad para un día de lluvia. Comprueba las pulsaciones de tu hijo con muchas actividades distintas, y luego termina con un agradable descanso en el suelo o en el sofá.

Electricidad estática (o una auténtica descarga)

317

PRECAUCIÓN

Globo

Ésta es una actividad sencilla y sin peligro que demuestra los principios de la electricidad estática de una manera muy entretenida.

Infla un globo de tamaño medio y luego pide a tu hijo que se coloque delante del espejo y frote el globo fuertemente contra su cabeza. Luego eleva el globo ligeramente separándolo del pelo del niño: para asombro de tu hijo, su pelo se pondrá de punta.

Explícale que, al frotar un objeto contra otro, se genera electricidad estática, y que ésta es la razón por la que algunas personas sienten una leve sacudida cuando tocan el pomo de una puerta tras frotar la suela de sus zapatos con el felpudo.

¡Una experiencia que pone los pelos de punta!

Este juego está dirigido a niños mayores. Los pequeños no deben jugar con globos debido al peligro de asfixia.

SE NECESITA:
• Un globo
• Espejo

Invernadero en una caja

- Una caja de huevos
- Una caja de zapatos
- Envoltorio de plástico
- Papel de aluminio usado

OPCIONAL:

- Un calendario
- Un cuaderno
- Materiales para decorar la caja

Las cajas de huevos de plástico son unos recipientes estupendos para hacer de semilleros. Cuando se aproxime la primavera, compra semillas de flores o de verduras. Practica orificios de drenaje en la base de una caja de huevos, y luego llena cada compartimento con tierra para macetas húmeda. Planta varias semillas en cada compartimento, a la profundidad indicada en el paquete correspondiente. Si plantas distintos tipos de semillas, pon etiquetas en los compartimentos.

A continuación, forra el fondo de una caja de zapatos con papel de aluminio usado. Coloca la caja de huevos dentro de la de cartón y cubre la parte superior con plástico transparente bien estirado (mantenlo fuera del alcance de los niños). Coloca el *invernadero* en un lugar cálido y oscuro. Cuando broten las semillas, trasládalo a un lugar soleado y retira el plástico.

Tu hijo puede regar las pequeñas plantas para mantener la tierra húmeda. Los niños mayores pueden, además, hacer un seguimiento para comprobar cuánto tardan en germinar las diferentes semillas, anotando sus averiguaciones en un cuaderno. Trasplanta las plantitas a macetas más grandes cuando sean mayores que la caja de huevos; luego plántalas en el exterior cuando haga buen tiempo.

Ver crecer plantas es muy entretenido para niños y adultos... y enseña a respetar a todos los seres vivos.

Éste es un truco que hará que tu hijo (o la persona que lo aprenda) parezca un genio. En realidad es de lo más sencillo.

Pregunta a tu acompañante si sabe doblar papel. La respuesta será un rotundo sí. Luego pregúntale si es posible doblar un trozo de papel más de siete veces. «¡Por supuesto!»

SE NECESITA:

• Una hoja de papel

Pero no lo es. No importa qué clase de papel se utilice, todos serán demasiado gruesos en el momento de llegar al octavo pliegue. Compruébalo.

No nos preguntes por qué este truco funciona siempre; nos han dicho que tiene que ver con el modo en que las fibras se ajustan unas con otras en el proceso de fabricación del papel. La cuestión es que funciona siempre, tanto si se utiliza papel de periódico como un lujoso papel de escribir.

Tras muchos intentos de lograr el octavo pliegue, tu acompañante admitirá que es imposible y... se replegará.

320

Mapas del mundo

¿Comprende tu hijo la relación entre los mapas y el mundo real? He aquí una manera de averiguarlo y de ayudarle a entender las relaciones espaciales.

Si tus hijos son pequeños, comienza con un sencillo plano de su dormitorio. En un trozo de papel, dibuja el contorno de la habitación. Luego dibuja algo que se vea claramente, como la cama, el aparador, etc. Pregúntale dónde debería situarse la ventana, la puerta y otros objetos inconfundibles. Continúa hasta terminar toda la habitación. Para averiguar si tu hijo ha captado realmente la idea, puedes utilizar el mapa para buscar un tesoro. Prueba este mismo procedimiento en otras habitaciones de la casa, y luego pasa a un plano de toda la planta de tu casa o apartamento.

Salid al jardín, al vecindario, al parque, etc. A medida que aumenta la dificultad, incluye numerosos lugares conocidos (la tienda de ultramarinos, o un patio de juegos, por ejemplo).

Si los niños son algo mayores, podrías utilizar mapas comprados, o atlas de zonas más amplias. ¿Te sientes con ánimo? Explícales, breve y claramente, que vivimos en una esfera que gira alrededor del sol. ¡Ahora sí que tendrás tema de discusión!

Observatorio meteorológico

321

¿A tu hijo le fascina el tiempo? Fabrica un observatorio meteorológico infantil.

Para hacer una veleta, comienza por un trozo de cartón de unos 12 cm². Escribe las iniciales de los puntos cardinales N, S, E, O, en su lugar adecuado. Recorta un orificio en el cartón, del tamaño justo como para que encaje en él una clavija de madera. Luego haz una flecha de cartón y pega en su cola un trozo de cartón en posición vertical (para que el viento empuje la flecha). Recorta un orificio en el centro de la flecha, y colócala sobre la clavija, atravesando el orificio con una chincheta. Asegúrate de que gira correctamente. Coloca la veleta en el suelo, y oriéntala hacia el norte (utiliza una brújula si es necesario). Ahora tu hijo podrá saber la dirección del viento.

Para medir la lluvia, lo único que se necesita es una lata o un bote con los lados rectos y una regla. Tal vez se quiera comprar también un termómetro barato de exterior (preferiblemente uno que no sea de mercurio).

Quizá tengas que leer tú los instrumentos para los niños pequeños. Los mayores podrán realizar sus propias lecturas y anotar los resultados.

 PRECAUCIÓN

Objeto afilado

SE NECESITA:

- Una clavija o palo de madera
- Cartón
- Chincheta
- Cinta adhesiva
- Lata o bote
- Termómetro de exterior

CIENCIA

Papel de una sola cara (o la tira de mobius)

SE NECESITA:

• Papel
• Tijeras sin punta
• Cinta adhesiva

¿Un papel de una sola cara? ¿Te parece imposible? Conoce la tira de Mobius, un ingenioso invento que se acerca todo lo posible al papel de una sola cara.

Corta una larga tira de papel de un folio normal. Llamaremos A a una cara de esta tira, y B a la otra. Para hacer un lazo normal, tendrías que pegar los extremos de la tira. En el caso de la tira de Mobius, se retuerce un extremo de modo que A se junta con B, y se pega esta unión. Sigue la superficie; comprobarás que esta figura en realidad sólo tiene una cara.

Corta la tira a lo largo y por el centro: obtendrás otra tira de Mobius, más larga y con *dos* vueltas. Cortála de nuevo y tendrás dos tiras juntas.

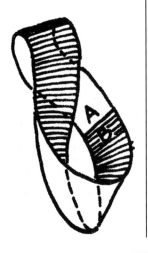

CIENCIA

Un puzzle con un mapa

¿Te gustaría tener un puzzle de las comunidades autónomas gratis? (Bueno, casi gratis). Se necesita un mapa de España. Por supuesto, siempre puedes servirte de un mapa que tengas, pero también puedes buscar uno de los que anuncian el tiempo, por ejemplo, o bien dibujar uno.

Pega el mapa sobre una cartulina con pegamento no tóxico. Si los niños son pequeños, corta el mapa en cuatro o cinco partes que se correspondan básicamente con grandes zonas del país. Si resulta demasiado fácil, divídelo en grupos de comunidades autónomas, por ejemplo Andalucía-Extremadura-Castilla la Mancha. El nivel más alto consiste en recortar el mapa en comunidades individuales.

Los niños mayores también podrían intentar hacer un puzzle de varios continentes. Comienza dividiendo los continentes en grandes zonas, luego recorta los países individualmente. Después de todo, el mundo es un pañuelo.

SE NECESITA:
- Un mapa de España
- Cartulina
- Pegamento no tóxico

OPCIONAL:
- Un mapa del mundo

Vasos transparentes

- Dos frascos de medicinas de plástico transparente, o dos vasos
- Un recipiente transparente
- Agua

El psicólogo Jean Piaget afirmaba que los niños no son adultos en miniatura, sino que piensan de manera diferente. Una forma de demostrarlo fue a través del test de la conservación. Tú puedes probarlo también, y tal vez llegues a ver el mundo con los ojos de tu hijo.

Coge dos vasos transparentes idénticos (si son altos y estrechos, mejor). Llénalos de agua hasta el mismo nivel, y pregunta al niño si tienen la misma cantidad. Luego vierte el contenido de uno de los vasos en un recipiente de cristal transparente ancho y poco profundo. Pregunta al niño si el recipiente y el vaso tienen la misma cantidad de agua. El niño pre-conservador responderá que uno de los dos tiene más agua. Si tu hijo dice que tienen la misma cantidad (es decir, capta la idea de la conservación de las cantidades), pregúntale por qué parecen distintas. El niño que verdaderamente comprenda el concepto responderá que lo único que hay que hacer para probar que los niveles de los dos recipientes son iguales es volver a verter el agua en el vaso.

Los niños generalmente comienzan a asimilar el concepto de la conservación entre los 5 y los 7 años. Pero no te preocupes demasiado por si tu hijo está, o no, dentro de estos márgenes; se trata de puntos de referencia muy generales, no de programas de ordenador.

Carrera de globos

325

Esta es una actividad excelente con globos que podrás organizar sin tener que encontrar un tanque de helio.

SE NECESITA:

- Globos grandes
- Una paja de las de beber
- Cuerda
- Sillas

Pega con cinta adhesiva un trozo de pajita a la parte superior de cada globo. Coloca parejas de sillas separadas de extremo a extremo de una habitación, y corta tramos de cuerda lo bastante largos como para unir los respaldos de las sillas opuestas. Introduce la cuerda a través de la paja de uno de los globos, luego ata los extremos a dos respaldos de sillas opuestas. Repite este procedimiento tantas veces como jugadores haya, y después pon en marcha el reloj. Ahora todos los participantes tendrán que soplar los globos, empujándolos con el aire mientras avanzan. Una regla importante: los jugadores no pueden tocar los globos de ninguna manera.

Preparados, listos, ¡ya!

Este juego está pensado para niños mayores. Los pequeños no deben jugar con globos debido al peligro de asfixia.

Carreras de sacos

Supervisar atentamente

SE NECESITA:
- Fundas de almohadas viejas

OPCIONAL:
- Un avisador de cocina
- Cojines de sofá

La mayoría de nosotros no podemos conseguir fácilmente auténticos sacos de patatas de arpillera, así que tendremos que conformarnos con fundas de almohadas si queremos organizar una carrera de sacos (utiliza fundas que puedan romperse). Simplemente, cada niño se introduce dentro de una funda con ambos pies, tira de ella hacia arriba lo más posible, agarra los bordes con ambas manos, y comienza a saltar en dirección a la meta. Este juego se practica mejor fuera de casa, en una zona blanda de césped. Si estás dentro de casa, elige una habitación alfombrada y retira todos los muebles a un lado. Cuidado con las escaleras: los sacos no son buenos paracaídas. Vigila toda la actividad atentamente.

Para que el juego sea más divertido se pueden establecer normas extrañas. Por ejemplo, el primero que cruce la línea de *meta* antes de que suene el avisador, pierde. O bien, todos los participantes tienen que cantar cierta canción tres veces antes de cruzar la meta. Prueba a organizar un circuito con obstáculos, como por ejemplo cojines, si estás dentro de casa, o un aspersor de riego si estás fuera.

Esta actividad requiere supervisión por parte de los adultos.

Caza de números

Este sencillo juego puede practicarse en cualquier habitación y a cualquier hora.

Di un número en voz alta, y luego pide a tu hijo que busque por la casa objetos que representen ese número. Por ejemplo, si tú estás haciendo la cena, y quieres tener a tus hijos a la vista, diles que busquen objetos de la cocina. Un rodillo de amasar consta de un rodillo y dos asas, de modo que serviría para 1 o para 2. Un tenedor podría tener 4 dientes, un frigorífico 2 asas, etc.

SE NECESITA:
• Sólo tiempo

También es posible inventarse variantes del juego. Por ejemplo, haz que tu hijo busque un objeto en cada habitación de la casa que se corresponda con el número que tú has dicho. Si tu hijo no puede encontrar ningún ejemplo, proporciónale pistas que le acerquen a un objeto válido.

Por último, si realmente quieres mantener a tus hijos ocupados, diles que cuando cuentes «tres», tienen que encontrar tres objetos que representen el número 3, y luego haz lo mismo con otros números.

Cuanto más jueguen, más desarrollarán su capacidad de observación. Rápido: ¿Cuántas filas de cerdas tiene su cepillo de dientes?

328

Como sardinas en lata

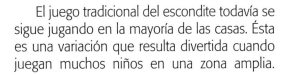

El juego tradicional del escondite todavía se sigue jugando en la mayoría de las casas. Ésta es una variación que resulta divertida cuando juegan muchos niños en una zona amplia.

Un jugador sale corriendo y busca un lugar para esconderse lo bastante grande como para que quepa todo el grupo, como un armario grande o debajo de una cama de gran tamaño. Después de contar hasta cincuenta, otro niño sale disparado a buscar al que se ha escondido. Tras encontrar al primer niño, el segundo se esconde en el mismo sitio.

Mientras tanto, el tercer niño ha contado hasta 45 y se une a la búsqueda. Cuando encuentra a sus compañeros, se une al escondite. El cuarto jugador cuenta hasta 40 antes de empezar la búsqueda.

Este proceso continúa hasta que sólo queda un niño. Su tarea consiste en encontrar a los demás, los cuales generalmente no resultan difíciles de encontrar: basta con tratar de escuchar las risitas y carcajadas.

Cuerda elástica para saltar

En casi todos los hogares hay una caja, un cajón, o una bolsa de plástico donde se guardan las gomas elásticas que vienen con los periódicos, comestibles y otros productos. Coge un buen montón de gomas y átalas formando una tira larga (cuanto más larga, mejor). Ten en cuenta que las gomas finas se rompen fácilmente; elige las más gruesas.

 PRECAUCIÓN

Supervisar atentamente

SE NECESITA:
• Gomas elásticas

Ya está listo. Las cuerdas de goma son estupendas para jugar a saltar a la comba dos o más personas; si sólo hay dos, ata un extremo al pomo de una puerta. ¿Cómo eran esas canciones de saltar? Pero la cosa no acaba aquí. Se pueden organizar concursos: por ejemplo, pasar por debajo de la cuerda sin tocarla, agachándose hacia atrás lo más posible; o practicar salto de altura utilizando la cuerda.

Este juguete es sencillo, gratis, fiable y (sobre todo) divertido; ¿qué más se puede pedir?

Se recomienda que los padres supervisen esta actividad; la cuerda puede romperse de pronto. Los niños muy pequeños no deberían jugar con gomas elásticas debido al peligro de asfixia.

330

Juegos de estatuas

En estos dos juegos pueden participar tres o más personas, pero son ideales para grupos muy numerosos de niños.

SE NECESITA:

• Sólo tiempo

Quedarse congelado: Una persona «se la liga» o «se la queda». Los demás comienzan a saltar, andar o gatear por la habitación o el patio. Cuando el que «se la liga» dice «congelado», todo el mundo debe quedarse quieto como una estatua, por muy rara que sea su posición. El primero que se mueva «se la liga» la siguiente ronda.

Estatuas voladoras (Mejor jugar fuera de casa): Un jugador es el escultor, y los demás son las estatuas. El escultor coge de las manos a una de sus próximas estatuas y suavemente le hace dar una o dos vueltas completas, diciendo el nombre de un animal o de un objeto (bajo supervisión de un adulto). Cuando el escultor suelta la estatua, ésta debe posar en una posición que represente al animal u objeto nombrado, y quedarse muy quieta. Una vez creadas todas las estatuas, el escultor elige su favorita. La estatua favorita debe ser el escultor en la siguiente ronda.

Y bien, ¿cuánto tiempo eres capaz de posar como un cepillo de dientes?

PARA AGOTARLES

Lánzamela (o el juego de rebotar la bola con el pie)

331

En esta actividad se sustituye la pelota tradicional por otra bola hecha de la siguiente manera: enrolla dos calcetines, introdúcelos en un tercero y átalo con una goma elástica.

SE NECESITA:
• Calcetines
• Goma elástica

Aquí el objetivo consiste en lanzar la bola al aire y evitar que toque el suelo, haciendo que rebote con el pie. Tras el lanzamiento inicial, está prohibido tocar la bola con la mano. ¿Durante cuánto tiempo es capaz tu hijo de mantener la pelota en el aire?

Tal vez desees animar el juego probando con dos niños al mismo tiempo: es una auténtica prueba de destreza pasarse la bola de una persona a otra.

Ahora ya tienes una utilidad para esos latosos calcetines desparejados que aparecen en todas las coladas.

Olimpiadas locas

SE NECESITA:

• Sólo tiempo

Tal y como sugiere el nombre de esta actividad, su objetivo es inventarse juegos y deportes tontos, como por ejemplo saltar sobre un pie por la habitación o el jardín; caminar hacia atrás mientras se agitan los brazos, gatear con un libro sobre la cabeza... y otras hazañas o tonterías similares. Anima a tu hijo a que se invente juegos y a que combine actividades como saltar, cantar y llevar una pelota sobre una cuchara *(véase actividad 209: Diversión con cuchara)*. Vigila las actividades de cerca por motivos de seguridad.

Tu hijo y tú podéis competir comprobando quién de los dos puede practicar un deporte más deprisa o más despacio. Los grupos de niños también pueden divertirse en estas competiciones, e inventar sus propios juegos. Por ejemplo, tú podrías simplemente trazar una línea de salida y otra de meta, e indicar a los participantes que el objetivo del juego es caminar hasta la línea de meta manteniendo una mano en el suelo y otra en el aire.

Es muy posible que tu hijo y tú podáis marcar nuevas pautas en la tradición olímpica.

Personas con tres piernas

PRECAUCIÓN

Supervisar atentamente

Este juego es muy apropiado para fiestas, pero puede practicarse en cualquier otro momento.

Puedes jugar tú con tu hijo, o bien con un grupo numeroso de niños. Corta trapos limpios formando tiras de varios centímetros de ancho y un metro de largo aproximadamente (también sirven medias viejas). Colócate de pie junto al niño, mirando en la misma dirección que él. Con un trapo, ata tu pierna derecha a la pierna izquierda de tu hijo (o viceversa).

SE NECESITA:

• Trapos limpios o medias viejas

Primero, aprended a caminar juntos; esto requiere un poco de práctica. Luego, trata de hacer cosas más difíciles, como correr, saltar con los dos pies o con uno sólo. También se puede jugar a juegos tales como tratar de averiguar si la otra persona tiene intención de ir hacia la izquierda, la derecha, hacia delante, hacia atrás, o a ningún sitio. Esta actividad se realiza mejor fuera de casa, pero se puede practicar en una habitación en la que se hayan apartado los muebles y que no tenga escaleras (vigilar atentamente por seguridad).

Para hacer la cosa más difícil, organiza un recorrido con obstáculos fuera de casa (bancos bajos sobre los que haya que saltar, una mesa bajo la cual haya que arrastrarse, etc.). Un aspersor de riego giratorio puede ser otro gran obstáculo: ¿puedes caminar con tu hijo de un lado a otro sin empaparte?

PARA AGOTARLES

334

Recorrido con obstáculos dentro de casa

 PRECAUCIÓN

Supervisar atentamente

SE NECESITA:
- Muebles
- Cuerda
- Almohadones del sofá
- Papel y cinta adhesiva
- Objetos de la casa

Tú puedes estimular la agilidad de tus hijos organizando un recorrido con obstáculos en tu salón.

La prueba puede incluir retos de este tipo: arrastrarse por debajo de las sillas; arrastrarse bajo una mesa sin tocar ninguno de los globos que están atados con cuerdas; pasar por debajo o por encima de una cuerda atada entre las patas de la mesa, o de dos sillas; atravesar un túnel hecho con almohadones del sofá; o pisar una serie de papelitos pegados al suelo. También se puede desafiar al niño haciéndole atravesar el recorrido mientras sostiene en cada mano un tubo del interior del papel higiénico. Otra dificultad: llevar un sombrero muy grande al tiempo que se intenta sortear los obstáculos; si el sombrero se cae, hay que empezar de nuevo desde el principio. Otra posibilidad es establecer normas tontas, como saltar tres veces después de pasar ciertas etapas, o cantar una canción en determinado punto del recorrido. Puede haber infinitas variaciones pero, en todo caso, diseña el recorrido desde la perspectiva del niño. Para ello, claro está, tendrás que ponerte a cuatro patas y probarlo tú mismo. ¡Cuidado con tu espalda!

Esta actividad requiere vigilancia por parte de los adultos.

Si has realizado ya la actividad 334: Recorrido con obstáculos dentro de casa, y el tiempo lo permite, pasa ahora a practicar este juego en el jardín. He aquí algunas pruebas que sin duda entusiasmarán a tus hijos:

Arrastrarse debajo de sillas de jardín o bajo una hamaca.

Caminar o dar saltos con un pie a cada lado de una manguera del jardín colocada de tal modo que forme un camino serpenteante.

Caminar sobre la cuerda floja a lo largo de un trozo de cuerda, colocada sobre el suelo, que da la vuelta y forma curvas.

Esquivar el agua de un aspersor giratorio (esta prueba puede combinarse con cualquiera de las anteriores).

Para que esta actividad tenga más gracia, di a tus hijos que atraviesen el recorrido llevando en las manos un balón de playa o una pelota de ping-pong en un plato. Si es demasiado fácil, hazles llevar un montón de globos con agua entre los brazos.

Esta actividad requiere vigilancia por parte de los adultos.

PRECAUCIÓN

Supervisar atentamente

SE NECESITA:
- Mobiliario de jardín
- Una manguera o un trozo de cuerda

OPCIONAL:
- Un aspersor de riego
- Cucharas
- Un balón de playa
- Un plato y una pelota de ping-pong
- Globos con agua

Sillas musicales

Un juego clásico. Esta actividad sirve para recordar este juego que tanto gusta a los niños.

Busca un número de sillas equivalente al número de jugadores menos uno, y colócalas en círculo con los asientos hacia fuera. Enciende el radiocasete, con una música animada. Por supuesto, antes de que existiesen los radiocasetes, el juego se hacía con instrumentos musicales: si por casualidad tú sabes tocar uno, puedes utilizarlo en este juego.

Al empezar la música, los jugadores comienzan a dar vueltas alrededor de las sillas; cuando se para, tienen que encontrar una silla donde sentarse. El jugador que se quede sin silla debe abandonar el juego, y llevarse una de las sillas. En la última ronda, en la cual dos *supervivientes* se miran nerviosos dispuestos a lanzarse sobre la última silla, es probable que se produzca alguna riña. En tal caso, el encargado de la música actúa como árbitro. Su decisión es irrevocable.

Voleibol con un globo

Jugar al voleibol auténtico es probablemente lo último que deseas hacer en tu salón... a menos que la pelota sea un globo.

Es muy fácil convertir una habitación en un campo de voleibol. Despeja un espacio, luego ata una cuerda entre los respaldos de dos sillas. Ya tienes un campo de juego y una red. Infla un globo. Todo listo para la acción. Para jugar más formalmente, decora la red con serpentinas, trozos de hilo, etc. Ya puestos, decora el globo con rotuladores. Un balón de voleibol que se precie puede tener dos ojos, una nariz y una boca.

Anima a tus hijos a que establezcan sus propias reglas; después de todo, no se trata de un torneo oficial. Utiliza tu imaginación. Un grupo de niños podría encargarse de mantener una flotilla de globos en el aire.

En este juego, que siempre debe ser supervisado por un adulto, el límite lo pone su imaginación (y el tamaño del salón).

Esta actividad es para niños mayores. Los pequeños no deben jugar con globos debido al peligro de asfixia.

PRECAUCIÓN

Globo

SE NECESITA:
- 2 o 3 m de cuerda
- Dos sillas
- Un globo grande

338

Alfamezclas

¿Sabes escribir con *addenoorr*? ¿Y montar en *abcceiilt*? ¿Has comido alguna vez en un *aaeenrrsttu*?

Estas extrañas palabras no son tonterías; son alfamezclas. Para hacerlas, se elige una palabra normal y se colocan las letras que contiene en orden alfabético. De este modo, manzana se convierte en *aaamnnz*, perro en *eoprr*, etc.

Si tus hijos saben deletrear, probablemente ganarán velocidad con las alfamezclas. Pero lo mejor del juego viene después de construir las palabras. Dos jugadores se toman todo el tiempo que necesiten para formar diez buenas alfamezclas; luego se cambian sus listas y, en un tiempo determinado, tratan de adivinar las palabras (tú puedes establecer el tiempo, dependiendo de la capacidad de tus hijos, y ofrecerles pistas escritas o verbales si fuese necesario.)

Y ahora, veamos: ¿tú ya sabías que *addenoorr* era ordenador; *abcceiilt*, bicicleta y *aaeenrrsttu*, restaurante, verdad?

SE NECESITA:

• Lápices
• Papel

HOLA,
SOY TU
ORDENADOR

Anagramas

Un anagrama es una versión desordenada de una palabra o frase; la palabra «locura» puede transformarse en «cúralo»; «canto» puede convertirse en «tocan». Todas las letras de la primera palabra aparecen en la segunda.

Sugiere a tu hijo que haga un anagrama con su nombre. Resulta muy divertido para los niños que tengan cierta habilidad con las letras. «Paco» puede convertirse en «copa», «Alberto» puede convertirse en «tablero»; «Isabel», en «bailes». Cuando se trata de nombres muy cortos, trata de hacer anagramas con el segundo nombre o con el apellido. Una vez que el niño adquiera destreza, prueba con anagramas que incluyan el nombre y dos apellidos.

Lo bueno de los anagramas es que se pueden inventar muchos. «Enrique García» podría convertirse en «Quieren gracia», y la palabra «Anagramas» en «A ganar más».

(Véase también: 338. Alfamezcla; 344. El juego de las iniciales; 238. Suma de letras y números).

SE NECESITA:
• Sólo tiempo

Código secreto

¿Has oído hablar del juego llamado «Sopa de letras»? Es un juego muy fácil. Pero «Código secreto» es otro cantar.

Se trata de un alfabeto especial que se corresponde con el alfabeto normal: es un código basado en los garabatos que aparecen en la ilustración. El lugar donde se encuentra situada una letra determina su símbolo correspondiente. Por ejemplo, la letra E es simplemente un cuadrado sin nada dentro (observa que se encuentra dentro de un cuadrado); en cambio, la letra P parece una especie de L con un punto dentro de las dos líneas que forman el ángulo recto.

¿Comprendido? Código secreto es solamente un lenguaje escrito; su único propósito es codificarlo o descodificarlo en el papel. Pero desde luego impresiona. Y si a ti se te da bien...

SE NECESITA:
- Lápiz
- Papel

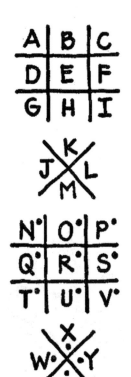

Los criptogramas son mensajes codificados. Aquí presentamos uno muy sencillo basado en la sustitución de letras.

Lo que hay que hacer es elegir una nueva letra para representar a cada letra del alfabeto. Su código podría ser el siguiente:

A B C D E F G H I J K L M N O P Q R S T U V W X Y Z
C E K P A D J Q U V I M L R W X N H B S Y Z O T G F

Utilizando esta clave, la palabra «diccionario» se transcribiría *pukkuwrchuw* (no intente pronunciarlo).

¿Qué pueden hacer los niños con esta clave? Los agentes secretos pueden enviarse mensajes unos a otros. («Nos vemos en el salón a la cinco para tomar un helado»). Los criptógrafos pueden tratar de descifrar el código. Tendrás que suministrarles un mensaje bastante largo para esta labor; para hallar una solución habrá que determinar la frecuencia con que aparecen ciertas letras muy comunes, luego habrá que adivinar los huecos que queden en blanco. A continuación presentamos una lista de las letras que se utilizan con más frecuencia en español:

E T A O N R I S M

Incluso con esta ayuda, descifrar el criptograma es bastante difícil la primera vez. Ayuda aportando un par de pistas relativas a las letras menos comunes, por ejemplo: «En este mensaje K equivale a C y M equivale a L».

342

Deletrear hacia atrás

SE NECESITA:
• Tiempo

OPCIONAL:
• Papel
• Lápiz

Tal vez tu hijo sea capaz de deletrear hacia delante, pero ¿y a la inversa? En este juego dirigido a niños con cierta habilidad para deletrear, el objetivo es averiguar lo que realmente significa una palabra pronunciada al revés... antes que los demás.

Indica a tu hijo que mire a su alrededor, elija un objeto y luego, sin revelar qué es, diga y deletree la palabra al revés. Puedes ayudarle si lo consideras necesario, tanto al deletrear como en la pronunciación hacia atrás. Utiliza papel y lápiz si lo necesitas, pero no enseñes a los demás jugadores lo que has escrito. Los demás jugadores se sientan en círculo y tratan de adivinar por turno, sólo por el sonido, la palabra elegida por el primer jugador.

Es difícil, pero divertido. Cada jugador dispone de un minuto para averiguar el objeto; tú puedes controlar el tiempo con tu reloj, o bien, si quieres que el juego sea más formal, utilizar un cronómetro u otro medidor de tiempo. El jugador que adivina un objeto, elige el siguiente.

Prueba esta actividad la próxima vez que busques algo nuevo y entretenido.

PALABRAS Y LENGUAJE

¿Tu hijo se inventa palabras nuevas? Nuestro hijo en cierta ocasión definió la palabra «ca-caja» de una manera muy particular: «Es una caja especial que no tiene lados ni fondo, y sirve para atrapar a un animal especial, un flus, y un flus es tan grande como una casa pero no tienen brazos ni piernas».

Cada vez que oigas algo parecido a «ca-caja», apúntalo en una tarjeta o ficha de cartulina. Incluso puedes inventarte palabras absurdas para que el niño las defina. Siempre que sea posible, di a tu hijo que haga un dibujo relacionado con la palabra. Juntos podéis hacer un fichero de cartón, o comprar uno en una tienda. Adquiere o fabrica también separadores. Otra posibilidad es adquirir una pequeña carpeta de anillas y escribir entradas en páginas distintas por orden alfabético. A medida que el archivo crezca, hojea las definiciones y pide a tu hijo que invente una historia basada en las palabras. En ocasiones el niño tal vez tenga alguna versión actualizada o un nuevo uso de una palabra.

Manténte atento ante nuevas palabras que invente tu hijo. Tal vez averigües el significado de palabras tales como «tropabús» (sustantivo) o «tricatar» (verbo). A «Mi gato le han tricatado en el veterinario».

SE NECESITA:
- Tarjetas de cartulina y una pequeña caja de cartón; o bien una pequeña carpeta de anillas y hojas
- Lápices de colores

344

El juego de las iniciales

Para este juego sólo se necesitan unas cuantas hojas de papel y algunos lápices. Traza una línea vertical en el lado izquierdo de una hoja; a la izquierda de esa línea, escribe el alfabeto hacia abajo. Una vez terminado, piensa en una letra al azar. A la derecha de la línea, escribe esa letra junto a la letra A, en la parte superior de la página. Continúa hacia abajo con el resto del alfabeto en orden hasta la Z, hasta completar todas las parejas de letras. Copia las filas de letras en distintas páginas, tantas veces como jugadores participen en el juego. Al final tendrás dos o más páginas idénticas con columnas verticales, formadas por parejas de letras parecidas a éstas:

AQ	**EU**	**IY**
BR	**FV**	**JZ**
CS	**GW**	**KA (etc.)**
DT	**HX**	

El desafío consiste en pensar en el mayor número posible de personajes famosos, figuras históricas o amigos que conozcan todos los jugadores cuyas iniciales coincidan con las letras de la lista. Por ejemplo, GW podría ser George Washington; DT podría ser David Torres, un amigo de la familia.

Pide a la persona que haya confeccionado la lista que vaya leyendo las iniciales en voz alta. Todos los participantes juntos piensan nombres de personas que se correspondan con las iniciales escritas. Por último, cuenta los que se han conseguido decir, y rellena las parejas de iniciales imposibles con cosas absurdas como «Higuel Xinduraín».

¿Quieres estimular al poeta en ciernes que hay en tu hijo? Prueba esta actividad.

Elige una palabra corriente y luego pide a tu hijo que piense la mayor cantidad posible de palabras que rimen con ella (este juego es excelente para niños pequeños que están desarrollando su capacidad lingüística). A continuación ponemos un ejemplo sencillo con palabras que riman con «sillón», para ofrecer una idea de sus posibilidades:

SE NECESITA:

Sólo tiempo

camión
bombón
cajón
ladrón
turrón
melón
león
avión
campeón

Y algunos ejemplos un poco más difíciles...

información
equitación
contaminación
ilustración
glaciación

346

El juego del silencio

Este juego requiere un poco de cooperación por parte de tu hijo, pero no será difícil obtenerla si *tú* estás dispuesto a intentarlo.

SE NECESITA:

• Sólo tiempo

Se trata de lo siguiente: ¿Qué se siente cuando uno tiene que pasarse el día sin poder comunicarse hablando con la gente que le rodea? La única forma de averiguarlo es tratar de permanecer en silencio durante un tiempo determinado, digamos 10 minutos para empezar.

Es más difícil de lo que podría parecer. Escribir notas sería trampa, por supuesto; la idea es tratar de hacerse entender *sin* el recurso del lenguaje corriente. Este experimento es una estupenda ocasión para comprobar cómo se sienten cada día muchas personas discapacitadas o que no hablan nuestro idioma.

El juego funcionará mejor si se explica al niño que se trata de un intento mutuo de aprender algo sobre las distintas maneras que tenemos de comunicarnos. Lo mejor es que tú te ofrezcas voluntario a ser el primero... y a ver qué pasa.

Véase también: Leer los labios (267).

El teléfono

He aquí un juego clásico, para cuatro o más personas, que tú probablemente recordarás de tus días de la infancia.

Todo el mundo se sienta en el suelo formando un círculo. Una persona susurra un mensaje de ocho o diez palabras al oído de la persona que está sentada a su derecha. Esa persona continúa el ciclo repitiendo el mensaje –o algo parecido a éste– a la persona siguiente del círculo. Lo divertido viene, por supuesto, cuando la última persona del círculo dice lo que ha entendido del mensaje. Los mensajes finales suelen ser totalmente absurdos (los niños pequeños tienden a aumentar la confusión del mensaje).

En cierta ocasión, el mensaje «te envié un bocadillo enorme de manteca de cacahuete, pero no te lo comiste», al final se convirtió en: «mitad de cerdillo; cómetela y vete pero no lo convenciste». No estamos seguros de saber lo que significa.

SE NECESITA:

• Sólo tiempo

Escribir al revés

Seguro que tu hijo mayor sabe escribir su nombre normalmente; pero ¿sabe hacerlo al revés?

La escritura al revés no afecta a aquellas letras que son simétricas (como A, H, o M), pero obliga a hacer un esfuerzo con aquellas que no lo son (como J, Z o R). Y, por supuesto, la secuencia de las letras debe invertirse. Propón a tu hijo que trate de escribir una frase de forma normal, y luego al revés (sin hacer la comprobación en el espejo a mitad de faena). El espejo sólo puede utilizarse para descifrar mensajes completos. Además, es interesante comprobar qué palabras o letras no se han hecho bien al escribir al revés.

Coloca este libro delante de un espejo para descifrar el mensaje inverso; esto ayudará a tus hijos a empezar.

Este juego, para tres o más personas, es más divertido para niños mayores.

Una persona coge un diccionario (o enciclopedia) y busca una palabra extraña, que parezca una tontería. Escribe la palabra y su definición auténtica en una hoja de papel. Entonces dice la palabra en voz alta al resto del grupo, pero no su definición. Cada jugador, incluido el que ha buscado la palabra, debe inventar una definición convincente para esa extraña palabra. Una vez hecho esto, una persona lee todas las definiciones en voz alta y pide a los jugadores que voten a favor de la definición que les parezca auténtica (por supuesto, la persona que buscó la palabra no puede votar). Adjudica cinco puntos a cada respuesta acertada, y luego va pasando el turno de modo que todo el mundo tenga la oportunidad de buscar una palabra.

No sirve cualquier diccionario, tiene que ser uno bastante grande. Además, a algunos jugadores tal vez les cueste trabajo encontrar buenas palabras. Nosotros proponemos una pequeña lista que puede servir para comenzar el juego.

Lista para empezar el juego: terebinto (arbolito de la familia de las anacardiáceas); jenízaro (hijo de padres de diversa nación); enhiesto (erguido, levantado); ajolín (especie de chinche); pedicoj (salto que se da con un pie solo); solferino (de color morado rojizo); miramamolín (califa).

SE NECESITA:
• Un diccionario grande
• Papel
• Lápices

PALABRAS Y LENGUAJE

Hablar deprisa

Este juego es muy sencillo. Se trata de averiguar a qué velocidad somos capaces de hablar.

Elige un poema o algo para recitar que conozcan de memoria todos los miembros de la familia. Prepara el reloj, di «¡ya!» y uno de tus hijos recitará la letra lo más rápido posible. No vale saltarse palabras. Anota los tiempos en una hoja de papel y pásalos a un cuaderno (querrás saber si estableces un récord mundial). *Consulta la actividad 66. Libro de récords de la familia.*

Si deseas divertirte aún más, trata de grabar sus esfuerzos por hablar deprisa. Quizá termines escuchando algo que suene parecido a esto y decidas volver a escucharlo unas cuantas veces para poder entender lo que dice.

A, propósito, ¿qué idioma es éste?

¡Hola!

Tu hijo probablemente disfrutará saludando a la gente en muchos idiomas distintos. A continuación presentamos el saludo «buenos días» en ocho idiomas distintos:

SE NECESITA:

• Sólo tiempo

Chino: Neehow
Holandés: Goeden dag
Francés: Bonjour
Alemán: Guten tag
Hebreo: Shalom
Japonés: Konichee-wa
Serbo-croata: Dobar dan
Inglés: Good morning

Uno se puede inventar todo tipo de juegos con estos saludos; utiliza uno distinto cada mañana, o pide a tu hijo que se invente un cuento y comprueba si el niño puede utilizar todos los saludos en un tiempo de cinco minutos. Esto será una auténtica torre de Babel. Quizá este sencillo juego estimule el interés de tu hijo por aprender idiomas.

Bueno, tenemos que irnos, o *habari za jioni,* como se dice en Suahili.

352

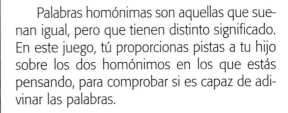

Homónimos

Palabras homónimas son aquellas que suenan igual, pero que tienen distinto significado. En este juego, tú proporcionas pistas a tu hijo sobre los dos homónimos en los que estás pensando, para comprobar si es capaz de adivinar las palabras.

Pongamos algunos ejemplos: «Estoy pensando en un animal que da leche y en algo que se pone encima del coche para llevar maletas» (vaca/baca). «Estoy pensando en algo que tiene que ver con la canción y en una piedra» (canto/canto). «Estoy pensando en una letra y en algo que se puede beber» (T/té).

He aquí unos cuantos ejemplos para empezar a jugar:

Barón (título noble)/varón (sexo)
Bello (hermoso)/vello(pelo)
Bote (barco)/bote (frasco)/bote (de botar)
Coma (signo ortográfico)/coma (de comer)
Cubo (recipiente)/cubo (figura geométrica)
Lista (inteligente)/lista (enumeración)
Nada (ausencia)/nada (de nadar)
Ola (del mar)/hola (saludo)
Pila (batería)/pila (montón)
Sabia (sabiduría)/savia (de las plantas)
Sobre (para cartas)/sobre (encima)
Traje (ropa)/traje (de traer)
Tubo (hueco)/tuvo (de tener)
Vino (bebida)/vino (de venir)

¿Sabes hablar ible-dible? Es muy divertido y casi imposible de comprender si no se conoce.

Funciona de la manera siguiente: simplemente hay que insertar el sonido «ible» antes de cada vocal, por ejemplo, la palabra *fresa* se convierte en *fribleesiblea*. Cuando una palabra empieza por vocal, se añade «dible» al principio de la palabra. Ejemplo: *árbol* se convierte en *diblearbibleol*.

Veamos ahora cómo funciona el ible-dible en una frase. Supongamos que queremos decir «Si vas al baile, baila un vals, Blas». En ible-dible sería: *Siblei vibleas dibleal bibleaibleiliblee, bibleaibleiliblea dibleun vibleals, blibleas*. El truco consiste en recordar que hay que buscar las vocales, sin fijarse en cómo se escribe la palabra. Es una cuestión fonética. *¿Libleo dibleentibleiibleendiblees?*

¡Dibleholiblea!

¡Dibleadibleiibleos!

Intercambio de letras

Ese fascinante juego para dos personas puede proporcionar horas de diversión si tus hijos saben deletrear.

El primer jugador dice una letra, por ejemplo, a. El segundo jugador debe decir otra letra, pero esta vez el segundo jugador debe estar preparado, en caso de que le rete el primero, para decir una palabra auténtica que incluya las dos letras seguidas (un diccionario es un buen árbitro para dirimir lo que se considera una palabra *auténtica;* si aparece en él, es válida).

El juego continúa generalmente durante cuatro o cinco turnos hasta que, o bien uno de los jugadores es incapaz de encontrar otra letra sin formar una palabra completa (en cuyo caso perdería), o bien se atreve a retar al otro jugador. Por ejemplo: jugador 1: t; jugador 2: r; jugador 1: a; jugador 2: i. Si el jugador 2 hubiese dicho s en lugar de t, habría perdido, puesto que «tras» es una palabra completa. Pero como la combinación ahora es t-r-a-i, el jugador 1 debe buscar una nueva letra que continúe la secuencia y que no forme una palabra completa.

Léeme tú a mí

Ya pasas bastante tiempo leyendo cuentos a tu hijo. ¿Qué te parece cambiar los papeles y que sea tu hijo quien lea para ti?

Esta actividad es más divertida si se realiza con niños que *no* saben leer. Coge uno de los libros favoritos de tu hijo, dile que lo abra por la primera página, y acomódate. Observarás que se esfuerza mucho en perfeccionar la entonación y la inflexión de la voz hasta llegar a las palabras clave de la historia, y que *rellena* las partes intermedias bastante bien.

SE NECESITA:

• Un libro de cuentos

No seas demasiado quisquilloso con las improvisaciones de tu hijo. Puede que «Érase una vez una cosa grande que hablaba con otra cosa y el perrito *la encontró*» no sea una narración clásica, pero si tú has captado la idea, será suficiente. Algunos niños pequeños incluso se inventan nuevas palabras.

Bueno: siéntate y presta atención. Y comparte las tapas del libro.

Lenguaje secreto sencillo

Éste es un lenguaje codificado dirigido especialmente a niños que no saben leer *(véase Código Morse (actividad 258), Criptogramas (341), Código secreto (340), y Mitad y mitad (359) si deseas otras actividades más difíciles relacionadas con códigos).*

En primer lugar, siéntate con tu. hijo, y acuerda con él algunas correspondencias sencillas. Por ejemplo, leche podría ser *chele* (invirtiendo las sílabas), o algo que no tenga nada que ver con la palabra, por ejemplo «puerta», o un número (por ejemplo 4), o una palabra tonta, como *chus*. De la misma manera, vaso podría decirse *sova,* gato, 7, o *catapún.*

Comienza con un pequeño grupo de palabras y comprueba qué tipos de correspondencias le resultan más fáciles a tu hijo. A partir de ahí puedes aumentar el vocabulario codificado a medida que el niño adquiera destreza. Se pueden utilizar las palabras secretas de diferentes maneras. Por ejemplo, averigua si eres capaz de mantener una conversación utilizando esas palabras, o bien trata de emplear las palabras relacionadas con la alimentación durante una comida. Tal vez desees tener un diccionario de palabras codificadas (guárdalo bien) para consultas y como recuerdo para la posteridad.

En cualquier caso, no puedes levantarte de la mesa hasta que hayas terminado tu *catapún de chus.*

El objetivo de esta actividad es enseñar el abecedario a los niños. También pondrá a prueba la capacidad que tienes tú para los trabalenguas.

En primer lugar, necesitarás una buena provisión de letras. Recortálas de revistas o periódicos, o bien escríbelas en pequeños recuadros de cartulina. También se pueden recortar letras de papel de colores o formarlas con limpiapipas o plastilina.

Consigue al menos dos ejemplares de las consonantes más comunes, y tres de cada vocal. Para la X, Y y Z, bastará con un ejemplar.

En el caso de niños que no saben leer, piensa en una palabra (sin nombrarla en voz alta) y di sus letras una por una. El niño puede colocarlas en el suelo o en una mesa. Dale algunas pistas sobre las combinaciones que vayan surgiendo (ésta es también una buena manera de hacerle ver cómo se leen las letras al juntarse unas con otras). En el caso de niños mayores, invierte el proceso: ofrece pistas sobre una palabra en la que tú estás pensando, y deja que ellos traten de adivinarla deletreando.

Una vez acabada la fase de deletrear, prueba esta variación: indica a tu hijo que ordene unas cuantas letras al azar, y luego trata de pronunciar la palabra resultante. Rápido: ¿cuántas veces puedes decir *taodñraxe* sin que se te trabe la lengua?

Manual de instrucciones

La mayoría de nosotros podemos beber un vaso de agua, comer cereales o atarnos los zapatos. Pero ¿somos capaces de escribir *instrucciones* detalladas para que otros lleven a cabo determinadas tareas?

En el caso de niños pequeños, tú puedes escribir las instrucciones que ellos te dicten (por ejemplo, cómo apilar cubos de construcción, abrir un sobre o cerrar una puerta). Luego, lee las instrucciones en voz alta y comprueba si tu hijo realmente realiza la tarea en cuestión hasta el final siguiendo las instrucciones al pie de la letra. La orden «Pon los zapatos en el armario» puede parecer muy clara, pero si la puerta del armario está cerrada, tu hijo probablemente tendrá que dar instrucciones para girar el pomo, abrir la puerta, etc.

Los niños mayores pueden tratar de describir tareas más difíciles, como saltar a la cuerda o construir un avión de papel.

¿Qué te parecería explicar cómo se atan los zapatos? No es nada fácil... ¡Inténtalo!

Mitad y mitad

Este juego es estupendo para escribir mensajes secretos. Descubrirás que tu hijo y tú podéis practicarlo para facilitar la transmisión de todo tipo de información confidencial referente a reuniones, actualización de las últimas noticias de la casa o incluso, pensándolo bien, si ha llegado la hora de hacer la «limpieza secreta» en la «habitación secreta» de tu hijo.

SE NECESITA:
• Papel
• Lápiz

Coge una hoja de papel y dóblala por la mitad, pero dejando las dos partes desiguales, de modo que una de ellas sobresalga por la parte superior unos dos centímetros. El truco consiste en escribir el mensaje a lo largo de la parte superior, de forma que la mitad del mensaje quede en los dos centímetros del papel que sobresale y la otra mitad en el papel de debajo (ver ilustración).

Una vez escrito el mensaje secreto, dobla el papel varias veces al azar (para esconder el pliegue secreto ante aquellos que no estén autorizados a leerlo). Desdóblalo. Sólo repitiendo con exactitud el procedimiento de doblaje inicial podrá descifrarse el mensaje.

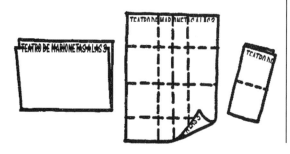

360

Palabra secreta

SE NECESITA:

• Sólo tiempo

Groucho Marx presentó un programa de televisión en Estados Unidos titulado *Apuesta tu vida*, en el que entrevistaba (y generalmente insultaba) a concursantes de buen carácter, y si uno de ellos mencionaba una palabra secreta que sólo conocía la audiencia, un pato de juguete descendía de las alturas y el concursante ganaba un premio.

Aquí vamos a superar a Groucho. Este juego es para tres o más personas: se muestra la palabra secreta a todos los miembros de la familia, excepto a uno, escrita en un trozo de papel (a los más pequeños se les puede susurrar la palabra al oído). El objetivo del juego es conseguir que el concursante diga la palabra *sin que tú muevas las manos.* Sólo se permite hablar. Comienza con el primer turno y muestra cómo se juega embarcándote en una conversación casual e improvisada que conduzca sutilmente al tema –y a la palabra– que tú tienes en mente.

Por supuesto, esto es ideal para los adultos. Cuanto más pequeños sean los niños, más se parecerán las pistas a ésta: «Es rojo y redondo, se pone en las hamburguesas, tiene pepitas y rima con chocolate», Mmm... ¿Qué podrá ser?

¿TOMATE?

PALABRAS Y LENGUAJE

Palabras extrañas

361

Para esta divertida actividad es necesario que el niño conozca al menos alguna de las consonantes del alfabeto.

Piensa en un objeto (por ejemplo, mesa); luego sustituye la primera letra por otra (por ejemplo, la t). Di en voz alta la palabra resultante *(tesa)* y comprueba si tu hijo es capaz de adivinar el objeto en el que estás pensando. Si el niño acierta, le toca el siguiente turno de pensar a él. Si no acierta, elige otro objeto y haz la misma operación, por ejemplo, *lentana.* Continúa sustituyendo la letra hasta que el niño comprenda el procedimiento.

Adapta la actividad al nivel de la capacidad lingüística de tu hijo; para niños más mayores, introduce sonidos combinados, como ch y qu, o tr.

SE NECESITA:

• Sólo tiempo

362

Palabras ocultas

Ésta es una actividad muy entretenida para niños que saben leer y escribir.

Da a tu hijo un trozo de papel en el que, previamente, hayas dibujado una cuadrícula de diez por diez casillas, y luego pídele que escriba palabras, colocando cada letra en una casilla, hacia delante, hacia atrás, en diagonal o en vertical. Las palabras pueden cruzarse siempre y cuando las letras coincidan; no vale *doblar palabras:* cada palabra debe seguir una sola dirección sin cambiar de fila. Intenta que el niño utilice palabras sobre un tema concreto, por ejemplo, cosas que tengan ruedas. Para que resulte más fácil, el niño puede escribir la lista de palabras ocultas al pie de la cuadrícula.

Una vez colocado un número adecuado de palabras, tu hijo puede rellenar las casillas en blanco con letras al azar. Luego dile que reparta el pasatiempo entre sus familiares o amigos. ¡Prueba suerte! Las palabras clave te darán una idea del modo en que funciona la mente de tu hijo.

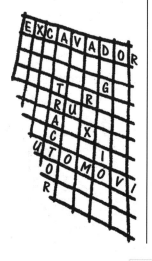

PALABRAS Y LENGUAJE

Palíndromos

Palíndromos son palabras o frases que se leen igual hacia atrás que hacia delante. Tus hijos mayores disfrutarán leyendo los siguientes palíndromos y poniendo a prueba su capacidad. Después de un rato, puedes ayudarles a inventar otros palíndromos.

SE NECESITA:
• Tiempo

- Ana
- Anilina
- Reconocer
- Luz azul
- Ana lava lana
- Somos o no somos
- Anita lava la tina
- Así le ama Elisa
- Yo de todo te doy
- Roza las alas al azor
- A la Manuela dale una mala
- Dábale arroz a la zorra el abad

Y ahora, ¿qué te parece construir un palíndromo con las palabras Volkswagen y *fährvergnügen?*

Trabalenguas

¿Cuántas veces seguidas puedes decir «Un tigre, dos tigres, tres tigres comen trigo en un trigal»?

Di a tu hijo que lo intente; probablemente acabaréis los dos riéndoos a carcajadas después de equivocaros unas cuantas veces. Cuando se trata de grupos de niños, las risas suelen ser contagiosas, haciendo aún más difícil completar el trabalenguas. Para que tus hijos no se aburran, aquí presentamos unos cuantos más para poner a prueba la destreza de su lengua:

Pablito clavó un clavito, ¿qué clavito clavó Pablito?

Mi caballo pisa paja, paja pisa mi caballo.

Poquito a poquito Paquito empaca poquitas copitas en pocos paquetes.

El cielo está enladrillado, ¿quién lo desenladrillará? El desenladrillador que lo desenladrille buen desenladrillador será.

Pablito clavó un clavito

Tu hijo y tú podéis inventar vuestros propios trabalenguas. El secreto de un buen trabalenguas es sencillo: haz que se amontonen palabras que suenan parecidas. Tal vez podríais organizar un concurso en la familia: quien sea capaz de decir el trabalenguas propuesto el mayor número de veces sin equivocarse presenta uno nuevo.